KB162581

_____ 님께

행복을 드립니다.

_____

신라인의 후예 계백!

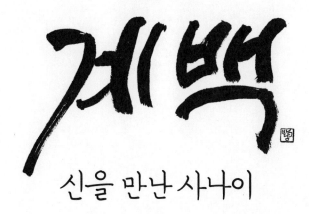

계백

신을 만난 사나이

계백의 본명은 백제승百濟升이다

홍남권 역사소설

온하루

계백 신을 만난 사나이

2018년 8월 17일 초판 1쇄 발행

지 은 이 홍남권
펴 낸 이 홍남권
디 자 인 (주)파코스토리
제   작 (주)파코스토리
펴 낸 곳 온하루출판사
주   소 전라북도 전주시 덕진구 무삼지 2길 10-3
전   화 010-7376-8430
이 메 일 nnghong@naver.com
I S B N 979-11-88740-10-9

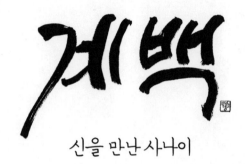

계백

신을 만난 사나이

홍남권 역사소설

지은이의 말

어릴 적에 삼국사기를 읽었습니다. 온달 열전의 온달은 바보가 아니라 효자였습니다. 바보가 아닌데 사람들이 왜 바보라 했을까? 무언가 사연이 있겠다 싶었습니다. 왕의 사위인 데다 이미 전쟁영웅이었던 온달이 한강유역을 차지하려다 죽고, 그의 관이 움직이지 않은 데에는 무슨 내막이 있을 거 같았습니다.

온달이 죽은 뒤 평강공주는 어떻게 살았을까? 그녀의 여생이 궁금했지만 기록은 더 이상 없습니다. [평강, 고구려의 어머니]를 쓴 동기입니다. 그런데, 646년 5월 유화부인의 상이 사흘 동안 피눈물을 흘립니다. 누가 죽었다는 기록인 듯싶은데, 고구려왕은 아닙니다. 누가 죽은 것일까요?

어느 날 문득, 평원왕이 일개 거지에 불과한 온달의 이름을 어찌 알고 있었을까? 온달이 만약 데릴사위였다면! 의문이 점점 풀렸습니다.

[안시성 그녀 양만춘]은 안시성 성주를 여자로 설정한 작품입니다. 페미니즘 소설이냐고요? 아닙니다.

중국역사상 최고의 황제라는 당태종을 무찌른 영웅, 그 영광의 이름이 당시 기록에 전무합니다. 성주가 도대체 누구였기에 이름도 안 남긴 것인

가. 당태종이 성주한테 선물도 주고 성주는 잘 가라고 당태종에게 손도 흔들어줬다는데.

당태종은 사백 년 간의 중국사 편찬을 주도한 인물입니다. 그러한 당태종에게, 안시성 성주가 여자라서 기록말살형을 받았다고 생각합니다. 그런데 우리에게 야사로 전해진 그녀의 이름은 어떻게 양만춘이 되었을까요?

양만춘이라고 우리나라에 알려진 때는 조선시대였습니다. 실제로 양만춘이 여자였다 해도 당시 유학자와 사대부들은 그 사실을 숨겼을 겁니다. 그땐 중국인이 지어준 시구절의 연개소문을 우리나라사람이 스스로 기자箕子로 바꿔버린 사대주의와 남존여비 세상이었습니다.

안시성 성주가 여자였다면 우리나라에서 가장 유명한 여성이 되었을 겁니다. 이름도 없이 최고로 이름난 여인... 신사임당대신 그녀가 오만 원 권 지폐의 주인공이었을 것입니다.

계백은 본명이 계백이 아니었습니다. 그의 정체를 감춘 것인가? 수상쩍었습니다. 우리 모두 알다시피 오천결사대와 함께 황산벌로 향하기 전 계백은 처자식을 칼로 베었습니다. 만약 계백의 아들이 열다섯 살이 됐더라면 아버지를 따라 참전했을 것입니다. 아들이 어리다면 계백은 젊었겠지요. 딸만 있었나? 그런데 딸을 아버지가 죽여?

오천결사대는 다 죽지 않았습니다. 이십여 명이 살아남았는데 이 생존자 가운데는 뜻밖에 총사령관 계백보다 벼슬이 높은 사람이 둘이나 있습니다. 이 두 사람은 황산벌에서 대체 무슨 역할을 하고 있었을까요?

문득 계백이 반은 백제인 반은 신라인이었다면? 그의 어머니가 신라인이라면? 그의 아내가 만약 신라인이라면? 계백이 신라군을 막으려 황산벌로 가려면 그의 처자식을 없애야만 했겠다, 생각도 듭니다.

계백의 몸이 신라의 피가 반이라면! 오랫동안 품고 있던 의문이 풀리기 시작했습니다. 그럼에도 불구하고 [계백, 신을 만난 사나이]를 비롯한 세 권의 연작은 상상력의 산물인 소설일 뿐입니다. 재미로 보아주십시오. 고맙습니다.

제목 글씨를 멋있게 써주신 백담 백종희 서예가님에게 감사드립니다. 이 책의 출간을 도와준 대학동창들, 장정우 변호사와 이엑스티(주) 송기용 대표에게도 감사드립니다.

2018. 8. 1. 홍남권

차 례

제 1 장

사랑의 적

1. 뒤틀린 운명

백제로 귀국하는 타로馱露의 기대는 돛처럼 부풀어 있었다. 백성들이 우르르 몰려나와 환호해줄 거라 생각했다. 의자왕도 직접 나루터로 마중을 나올 줄 알았다. 안시성의 승전은 동맹국 백제에게도 통쾌한 일이었다.

성대한 개선식은 헛된 망상이었음이 금세 드러났다. 구드래 나루터에 계백階伯 일행을 맞이하는 사람은 없었다. 환영인파는커녕 분주히 오가던 장사치조차 보이지 않았다. 쪽배 몇 척만이 정박해 있는 나루터는 타로의 심정만큼이나 썰렁했다.

"왕자님, 이거 너무하는 거 아니옵니까? 육십만이나 되는 당나라군을 물리쳤는데, 대왕께서 이러실 순 없사옵니다. 개선장군인 왕자님을 이렇게 홀대하시다니요."

흘러가는 강물만을 볼 뿐 계백은 말이 없었다. 타로가 흥분을 가라앉혔다.

"그 당태종 말이옵니다. 눈매가 어찌나 무섭던지 제가 오줌을 지릴 뻔

했다니까요.”

계백이 웃음을 보이지 않자 타로는 더 살살거렸다.

“대왕께 따지시는 김에 오천솔五千率들과 저의 벼슬자리 좀 부탁하면 아니 되겠사옵니까?”

“백제 조정이 원한 건 고구려의 승리가 아니었다.”

백제가 원한 건 고구려의 승리가 아니라 당나라와의 무승부였다. 두 강대국이 처절하게 싸우다가 비기는 것이 으뜸이었고 그 다음이 당나라의 작은 승리였다. 타로가 말했다.

“혹시 안시성 성주를 암살하라는 지령이 있었습니까?”

계백은 대답하지 않았다. 안시성 성주를 구하고 죽은 가비류哥沸流를 언급하고 싶지 않았다. 가비류는 계백의 호위무사였다. 타로는 계백의 표정에서 가비류의 죽음에 얽힌 내막을 읽어냈다. 안시성 성주를 죽이려 한 것은 당나라만이 아니었다. 백제도 안시성 성주가 죽기를 바랐다.

하지만 계백은 안시성 성주를 죽이라는 백제의 정사암회의 결정을 따르지 않았다. 계백은 성주의 죽음이 백제에 이익은커녕 도리어 해가 될 거라 여겼다. 고구려는 당나라의 위협으로부터 백제와 신라를 지켜주는 방패이기도 했다. 계백의 심중을 헤아린 호위무사 가비류가 위기에 처한 안시성 성주를 구하고 죽었다.

사비성 근처 구드래 항에 닻을 내렸다. 배에서 내리는 계백과 타로를 어떤 노인이 지켜보고 있었다. 타로가 단박에 노인을 알아봤다.

“아니, 저 분은!”

계백이 노인에게 다가가 허리를 숙였다. 노인은 계백의 장인 사택지적砂宅智積이었다. 사택지적은 앉은뱅이처럼 일어날 줄 몰랐다. 반년 만에 본 사택지적의 머리카락이 하얗게 새어있었다.

"갔어! 그 아이가 갔다고."

계백이 고개를 들어 하늘을 올려다봤다. 뭉게구름이 어지럽게 흔들렸다. 안시성에 가 있는 동안, 낭군의 무사안일을 빌며 세상을 떠나간 아내에게 면목이 없었다.

아내와의 혼인생활은 운명의 장난 같았다. 여느 부부처럼 살갑게 지낸 날이 며칠 되지 않았다. 계백은 백제국의 사신 자격으로 때로는 의자왕의 밀명을 받아 외국에 자주 가야했다. 혼인기간 동안 아내가 아기를 임신하지도 못한 건 순전히 계백 탓이었다.

계백이 귀국했다는 소식을 듣고 좌평들이 우르르 사비궁으로 몰려들었다. 좌평들이 쑥덕거리는 소리로 사비궁 안은 시끌벅적했다. 좌평들이 한자리에 모인 가운데 의자왕이 옥좌에 앉았다. 좌평들은 먼저 당나라가 대패한 원인을 계백에게 따졌다. 안시성 성주를 죽이라는 정사암회의의 밀명을 거스른 계백은 말이 없었다. 좌평들은 백제가 이번 일로 당나라에 미움을 샀을 거라며 계백에게 책임을 물었다. 지그시 눈을 감은 채 계백은 항변하지 않았다. 지켜보던 의자왕이 옥좌에서 일어섰다.

"안시성 성주의 선방은 계백의 책임이 아니다. 이세민이 누구인가. 천하의 영웅이 아니던가."

입을 씰룩거리던 좌평들이 한목소리로 아뢰었다.

"성주를 죽이지 않은 것은 정사암회의의 명을 어긴 것이옵나이다."

"이미 매듭지어진 일을 다시 풀어 놓을 일이 아니다. 대책을 강구함이 옳을 것이다."

"대왕, 우리 백제는 이제 당나라와 고구려, 이 두 나라의 눈치를 다 보게 생겼사옵니다."

의자왕이 타이르듯이 말했다.

"연개소문, 이세민, 안시성 성주, 이 세 사람이 어디 보통 인물인가. 그들을 계백 혼자 어찌 다 감당할 수 있다더냐. 그대들이라면 할 수 있었겠는가?"

좌평들은 꿍했다. 하고 못하고의 문제가 아니었다. 고구려와 당나라가 국력을 탕진한 채 비겼어야 했다. 그래야 약소국 백제가 기를 좀 펼 수 있었고 좌평들의 상단이 당나라와 고구려를 누비고 다닐 수 있었다. 고구려의 득세로 이익이 줄어들 것이 빤한 좌평들은 가만있지 않았다.

"계백왕자처럼 왕명을 가벼이 여긴다면 훗날 누가 대왕의 지엄한 명을 따르겠사옵니까? 왕자들의 힘이 커지면 불미스런 일이 생길 수도 있음이옵니다."

"맞사옵니다. 왕자 계백의 사병 오천솔과 사신의 부절을 회수하소서. 대왕께서 이리 관대하시오니 왕자들이 저렇듯 제멋대로 구는 것이옵나이다. 계백에게 벌을 내려 본보기로 삼으셔야 하나이다."

좌평들이 세차게 몰아붙이자 의자왕이 옥좌에 앉아 등을 기댔다.

"누구를 위해서입니까!"

왕비 은고恩古의 목소리가 널따란 사비궁을 휘감았다. 저 타오르는 불꽃

같은 그녀의 금관이 좌평들의 기를 눌렀다. 좌평들은 금관의 불씨가 튀기라도 한 듯 몸을 움츠렸다. 반면 은고의 등장에 의자왕은 기색이 좀 나아졌다. 은고가 말했다.

"대왕, 계백왕자의 전공을 시기하는 짓거리이옵니다. 상을 주지는 못할망정 벌이라니요! 괘씸하지 않사옵니까?"

신하들의 눈이 휘둥그레졌다. 놀라기는 의자왕도 마찬가지였다. 왕비 은고가 제 발로 나서준 것이 고맙지만 기이했다. 계백을 미워하던 은고 입에서 나올 말이 아니었다. 의자왕은 좌평들을 쳐다보았다. 좌평들은 은고의 등장으로 이미 기세가 한풀 꺾여있었다. 하지만 일어설 낌새는 보이지 않았다. 은고가 눈을 치뜨니 좌평들이 고개를 숙였다. 은고가 의자왕에게 나직이 말했다.

"백제국 신하의 몸으로 대왕보다 바다 건너 당태종을 더 두려워하니 큰일이옵니다. 대왕께선 이 나라의 왕이시기 전에 제 주군 아니시옵니까. 저들의 기강을 바로잡아야 제 위신도 서지 않겠사옵니까."

은고의 입바른 소리에 좌평들이 헛기침을 하였다. 은고가 의자왕에게 말했다.

"대왕, 좌평들을 당나라에 사신으로 보내소서. 가서 이세민을 만나 그간 틀어진 일을 바로잡아보라 하소서. 단단히 뿔이 나있을 황제한테 목이 잘리지 않으면 다행일 것이옵니다."

좌평들은 얼어붙었다. 지금 당나라에 사신으로 간다는 건 은고 말마따나 떠나는 순간 반죽음이었다. 좌평들은 눈치를 살피면서 슬금슬금 뒷걸음질 쳤다. 통쾌했지만 은고는 웃지 않았다. 은고의 시선이 계백을 향하기 전부터 계백은 은고를 바라보고 있었다.

은고의 마음은 종잡을 수 없었다. 지난날 계백이 외유에서 한참 만에 돌아왔을 때였다. 한때 계백과 혼담이 오갔던 사택 가문의 은고가 형수가 되어 있었다. 은고는 시동생 계백을 미소로 맞았다. 어떤 사심도 없는 환한 미소였다. 의자왕과 나이 차이가 많았지만 은고는 왕비로서의 화려한 삶을 만끽하고 있었다.

오래지않아 평온해 보이던 사비궁에 불협화음이 생겼다. 사단은 계백의 혼인이었다. 계백의 처는 은고의 사촌 자매였다. 계백이 혼인한 뒤 은고는 대놓고 그를 미워하고 공개적으로 그를 깎아내렸다.

의자왕이 마흔 명의 왕자들에게 좌평 벼슬을 하사한 적이 있었다. 좌평의 수를 늘려 그 권위를 떨어뜨리기 위해서였다. 그런데 계백에게만 한 등급 아래인 달솔 벼슬을 내렸다. 은고의 입김 탓이었다. 관등의 높낮이 따위엔 무관심한 계백의 마음을 의자왕은 잘 알고 있었다. 의자왕이 은고의 뜻을 순순히 받아들인 것은 계백을 위해서였다. 은고의 뜻을 거스르면 계백은 계속 시달려야 할 것이었다.

의자왕은 지혜롭게 처신했다. 그는 좋은 남편이었고 형제간의 띠앗 또한 각별했다. 의자왕은 은고 몰래 계백의 식읍을 늘려주었다.

의자왕의 처사를 뒤늦게 안 은고는 분개했다. 계백의 주위 사람들을 들볶아댔다. 은고에게는 사촌자매가 되는 계백의 처에게 강짜를 부렸다. 강짜는 점점 험악해졌다. 이에 계백은 부부사이가 좋지 않다는 거짓소문을 내고는 사비성 밖을 휘돌아다녔다. 도무지 이해할 수 없는 은고의 질투로부터 그의 처를 보호하기 위한 방편이었다.

좌평들은 은고에게 도리깨질을 당한 기분이었다. 사비궁 밖으로 나가자마자 입방아를 찧어 댔다.

"참으로 별일입니다. 계백을 못 잡아먹어 안달이던 은고 아닙니까. 혹시 우리들 밥그릇까지 빼앗아 독식하려는 속셈 아닐까요?"

"그렇다면 우리는 재주만 부린 원숭이 꼴 아닙니까. 그놈의 변덕스런 여심이란!"

"그 놈이 아니라 그 년입니다."

"아니, 병관좌평! 지금 농이 나옵니까! 당나라와 교역이 끊겨 손해가 얼만데. 왜국과만 교역한다고 나 몰라라 그러는 거 아닙니다. 이거 서운합니다! 두고 봅시다. 두고 봐요!"

"적반하장입니다. 큰물에서 논다고 자랑할 땐 언제고, 왜국과의 교역은 참새구이처럼 감질만 난다면서요? 진짜 서운한 건 접니다."

"자, 자, 그러지들 말고, 까짓것 그만 밀어붙입시다. 우리끼리 싸울 필요 없습니다. 시간이 지나면 다시 당과의 교역길이 뚫리겠지요. 여우 사냥이나 하며 기분 품시다. 술은 제가 마련하지요."

*

645년 겨울 좌평들의 반발이 누그러들자 의자왕이 계백을 사비궁으로 초대했다. 안시성에서 고생한 계백의 노고를 치하하며 술을 하사했다. 서

너 순배 돌고 나서 의자왕이 말했다.

"나이를 먹어 몸이 굳는 것처럼 좌평들의 마음이 굳어진 게다. 시간이 지나면 저들의 마음도 자연스레 풀릴 것이다. 잠시 쉴 겸 신라든 왜든 해외에 다녀오는 게 어떻겠느냐?"

의자왕은 은고의 배려라고 했다. 외유가 배려라니? 계백은 씁쓸했다. 그동안 은고와 마주치기 싫어서 사비성 밖을 휘돌아다녔다고 터놓을 수는 없었다. 잔정은 많아도 의자왕이 그러한 속사정까지는 일일이 알 리가 없었다. 계백이 말했다.

"대왕의 성은에 감사할 따름이옵니다."

의자왕이 계백에게 선물을 건넸다. 탐라에서 진상품으로 올라온 귤과 은고가 전해주라는 패물이었다. 의자왕은 은고의 선물임을 강조했다. 은고에게 고마움을 표하라는 뜻이었다. 계백은 난감했다. 의자왕을 알현하고 사비궁에서 나오는 계백을 보고 타로가 달려왔다. 의자왕만큼은 계백의 공을 알아 줄 것이라 생각했다.

"뭐라 하시옵니까? 상으로 뭘 주셨사옵니까?"

타로에게 선물을 건넨 계백은 땅에 붙들린 듯 서 있었다. 귤껍질을 까며 타로가 채근했다.

"뭘 받으셨사옵니까? 저와 오천솔에게는 뭐 없사옵니까?"

타로를 한 번 노려보고 계백은 걷기 시작했다. 그런 계백을 타로가 뒤따랐다.

"혼자 가겠다."

계백의 얼굴은 일그러져 있었고 말투는 냉랭했다. 타로의 입안에서 감돌던 향긋한 귤 향이 싹 사라졌다. 계백은 왕비의 궁전을 향해 무거운 걸음을 떼고 있었다. 타로는 근심스럽게 계백의 뒷모습을 바라봤다.

왕후의 궁전을 찾아온 계백에게 은고가 말했다.

"부인 일은 참 아니 되셨습니다. 그녀가 이리 빨리 세상을 떠날 줄 몰랐습니다."

계백은 아내의 죽음을 담은 그녀의 입에서 희미한 미소를 보았다. 토할 것만 같았다. 서둘러 인사를 하고 계백이 자리에서 일어섰다. 은고가 계백에게 말했다.

"사비궁에 자주 들르세요."

"선물은 잘 받았사옵니다. 고맙습니다. 이만 가보겠습니다."

계백의 뒷모습을 왕비 은고는 오랫동안 바라봤다. 기운이 하나도 없어 보이는 계백을 안쓰러워했다.

태초부터 암흑은 별을 빛나게 했다. 별이 밝게 빛나는 것은 하늘이 어둡기 때문이었다. 타로가 밤하늘을 올려다보았다. 숱한 별들이 반짝이고 있었다. 거성들은 대부분 신화에 나오는 영웅들이나 대왕들의 별이었다. 저 북쪽하늘 큼지막한 별은 계백의 별이었다. 그 옆의 퇴색한 별이 타로의 별이었다. 타로는 반딧불처럼 깜박이는 별을 그의 별로 찜해 놓았다. 저 볼품없는 별이 그를 닮은 듯해 정이 갔다. 이름도 갖지 못한 자그마한 저 별은 눈여겨보지 않으면 보이지도 않았다.

타로의 별이 갑자기 시야에서 사라졌다. 하늘을 뒤덮은 짙은 구름에 가린 것이었다. 구름을 따라온 고든하누가 휘몰아쳤고, 그 바람은 어둠 속에서 더 세차게 휘돌았다.

밤늦게 계백이 타로를 찾아 불렀다. 계백에게 가는 도중 문득 타로는 달을 올려다보았다. 심상치 않은 느낌에 가슴이 콩닥거렸다. 타로가 방문을 열었다.

타로의 얼굴을 보며 계백이 말했다.

"벌써 이십 년이구나. 그동안 고생이 많았다. 오천솔에게 말을 꺼내기 전에 너에게 먼저 묻는 것이다."

빠짝 긴장한 타로에게 계백이 말했다.

"네 앞에는 세 가지 길이 있다. 첫째는 나를 떠나 재산을 이루는 것이다. 종자돈은 마련해주겠다. 원한다면 일꾼도 붙여주겠다. 둘째, 글을 쓰는 것도 좋다. 예로부터 아름다운 글은 사들일 만한 가치가 있다고 했다. 내가 보기에는 그 일이 가장 적합할 거 같구나. 셋째는 지금처럼 내 곁에 있는 것이다. 무엇을 할 것인지는 함께 고민해보자. 내가 이런 말을 하는 이유를 너는 알 거라 믿는다. 이제 사람을 상하게 하는 일에는 나서지 않겠다. 더 이상 피비린내를 맡기 싫구나. 나는 이제 칼을 놓고 왜국으로 건너가 쉴 요량이다."

타로가 즉답하지 않은 것은 다른 까닭에서였다.

"왕자님, 사별에 상심이 크신 줄은 아옵니다만, 이별을 겪자마자 왕자님과 또 이별이라니요."

계백은 가비류를 향한 타로의 사랑이 식지 않았음을 느꼈다. 하지만 타로뿐만이 아니었다. 계백의 괴로움도 타로의 상처처럼 깊었다. 타로가 말했다.

"제게는 가비류의 죽음이 요동에서 죽어간 삼십만 명의 목숨보다 더 무겁사옵니다. 송구하옵니다."

"진즉에 가비류와 짝을 지어줘야 했는데……. 자, 한 잔 받거라."

계백이 타로에게 술을 따라주었다.

"타로 너도 알다시피, 우리는 백제인보다도 더 완벽한 백제인으로 살아야 했다. 모친이 신라인이기 때문에 더 애썼다. 죽음은 줄곧 내 곁을 떠나지 않고 있었다."

"그런 말씀 마시옵소서. 제가 의지할 분은 왕자님밖에 없지 않사옵니까."

타로가 술을 단숨에 들이켰다. 어렸을 적부터 계백을 따라다닌 타로는 어머니를 일찍 여읜 탓에 계백을 더 의지했다. 계백은 마음이 아려 왔다. 타로는 사랑을 받지 못해 사랑을 표현하는 데 서툴렀다. 가비류의 마음을 확실히 잡지 못한 게 그 때문이라 계백은 생각했다. 타로가 말했다.

"돈 버는 방법을 알려주옵소서. 학당을 세워 가난한 아이들에게 배움의 기회를 주고 싶사옵니다."

계백이 타로의 얼굴을 빤히 바라봤다. 타로는 곁에 없으면 서운한 벗 같은 존재였다. 계백은 타로가 그의 곁을 떠나는 길을 택한 거라 여겼다.

"옛날에 고구려 요동에 장사하러 온 연나라 상인이 있었다. 그는 요동의 돼지를 보고 깜짝 놀랐다는구나. 연나라 돼지들은 털빛이 전부 흰데, 요동의 돼지들은 까맣기 때문이었다. 이게 돈 버는 방법이다."

타로가 고개를 갸우뚱하는 사이 계백이 말을 이었다.

"그 연나라 상인은 고구려의 흑돼지를 연나라로 가져갔다. 상인의 예측처럼 연나라 사람들은 처음 보는 흑돼지를 비싼 값에 사갔다. 사람들은 신기하고 색다른 물건을 좋아하니 그 값어치가 있었던 게다."

"저는 이해가 아니 가옵니다. 고기가 맛있다면 몰라도 색깔이 다르다고 해서 비싸게 팔리다니요. 돼지는 먹으려고 키우는 게 아니옵니까."

계백이 고개를 가로저었다.

"세인들의 취향은 제각각이다. 주인의 성향보다 손님이 먼저인 게 장사라 하지 않느냐. 그다음 연나라 상인은 어떻게 했겠느냐?"

"이번엔 연나라의 하얀색 돼지를 요동에다 비싸게 팔았을 거 같사옵니다."

"내가 이 이야기를 왜 꺼냈는지 짐작하겠느냐?"

타로가 한숨을 내쉬었다.

"왕자님을 모신 지 십 년이 넘었습니다요. 이곳저곳을 가봐서 어느 지역에 어떤 물건이 흔한지 귀한지 정도는 꿰고 있사옵니다. 이제 그만 왕자님 품을 떠나라는 말씀 아니옵니까?"

"아니다. 네가 나를 떠나기 전에는, 나는 아니다."

타로가 환하게 웃으며 계백에게 술을 따랐다. 계백이 타로에게 술을 따라 주고는 건배를 제의했다. 술이 둘의 마음을 적셨다. 둘은 술잔을 밤새 주거니 받거니 했다.

긴장이 풀어진 타로가 먼저 바닥에 드러누웠다. 계백이 타로에게 이불을 덮어줬다. 계백은 곯아떨어진 타로를 내려다보았다. 타로 곁에 누워 잠을 청하던 계백은 새벽닭 우는 소리를 들었다.

2. 노옹과 괴동

에울 듯 사비성을 휘도는 사비수와 맞닿은 들판은 꽤 넓었다. 그 너머 구릉은 여인의 굴곡처럼 부드러웠다. 가을걷이를 마친 밭은 잡초만 드문드문 올라와 있었다. 풀을 뜯고 있는 말들은 긴 겨울을 날 만큼 살져 보였다. 추위를 모르는 망아지들은 뛰어 놀기 바빴다. 어미 말들은 얼마 남지 않은 싱싱한 풀을 찾아 이동했다. 곧 시들어갈 녹초가 아쉬운 듯 소들은 연신 되새김질을 해댔다. 냉기를 품은 고든하누가 건초를 장만하느라 분주한 목동들의 땀을 식혀주었다.

저 멀리 미륵산과 용화산이 보였다. 미륵산은 어머니 선화공주의 산이고 그보다 조금 낮은 용화산은 아버지 무왕의 산이었다. 두 산의 샛길을 빠져나온 계백은 전설 속으로 말을 달렸다. 미륵사와 금마저수지 사이로 난 길을 지나면 부모의 숨결이 살아있는 곳이었다.

왜국으로의 장도에 오른 계백은 먼저 금마저 쌍릉에 들렀다. 이곳에 무왕과 선화공주가 아기구덕의 쌍둥이처럼 잠들어 있었다. 계백은 숨을 깊게 들이마셨다. 흙냄새가 젖처럼 달콤했다. 이 땅은 타로에게도 푸근했다. 선화공주를 모셨던 그의 어머니도 쌍릉 근처에 잠들어 있었다. 소나무 숲 오솔길을 따라 계백은 한 걸음 한 걸음 걸었다.

"왕자님, 오셨사옵니까."

쌍릉을 돌보는 수묘인 박박朴朴이었다. 계백은 오랜만에 만난 박박의 두 손을 잡아주었다. 타로는 한술 더 떠 박박의 품에 안겨버렸다.

"박박 아저씨."

"야 이놈아, 수염까지 달린 녀석이! 장가가서 네 처나 안아줘라, 이놈아!"

박박이 타로를 밀쳐내며 웃었다. 그러거나 말거나 타로는 박박의 옷자락을 놓지 않았다. 박박의 얼굴을 뚫어져라 보던 타로가 웃음을 터트렸다. 타로가 박박의 고깔모자를 확 벗겼다. 박박의 대머리가 훤하게 드러났다. 타로가 연신 킬낄거렸다.

"검은 머리카락은커녕 흰 머리카락도 한 올 없네. 어디 보자, 오히려 더 젊어 보이는데요. 이참에 새장가라도."

박박이 째려보자 타로가 슬금슬금 뒷걸음질 쳤다. 박박이 몸을 날려 타로의 발을 걸어 넘어뜨렸다. 타로가 대자로 드러누웠다. 타로 손에서 고깔 모자를 빼앗아 박박이 제 대머리를 가렸다. 주갑이 넘은 박박의 날렵함은 옛날 그대로였다. 타로가 엉덩이를 털며 일어났다.

"아저씨 무예가 녹슬지 않았는지 알아보라는 대왕님의 하명이 있었습니다. 쌍릉은 적어도 천년 동안은 무사할 것이라 고하겠습니다."

박박은 선화공주를 따라 신라에서 온 호위무사였다. 무술실력이 뛰어나 벼슬길에 나갈 수도 있었지만 박박은 한 번 주군은 평생 주군이라며 우직하게 칼까지 빼들고서 선화공주의 무덤을 지켰다. 의자왕은 그 충직함을 가상하게 여겨 박박을 수묘인들의 우두머리로 임명하였다. 박박이 계백에게 물었다.

"제를 올리실 것이옵니까?"

계백이 고개를 끄덕였다.

"먼 길이 될 거야."

계백이 신라로 막 출발하려던 참이었다. 박박이 저만치서 뛰어왔다. 그가 육포를 타로의 손에 쥐어주었다. 챙겨온 누룽지와 주먹밥은 꾸러미 속에 넣어주었다. 출출할 때 요기하라는 것 치고는 양이 넉넉했다.

"주먹밥을 언제 쌌대요?"

"이번이 마지막이다. 앞으로는 네 처한테 얻어먹어라."

타로는 퉁명스런 박박의 말투가 더 정겨웠다. 세 사람은 긴 이별을 앞두고 서로의 얼굴만 바라봤다. 계백이 허리춤에 차고 있던 작은칼을 빼들었다. 그 칼을 계백이 박박의 손에 쥐어주려 하자 그가 손사래를 쳤다.

"왕자님, 이 칼은 신라의 명검 아니옵니까? 받을 수 없사옵니다. 이건 신라의 왕족만이 지닐 수 있는 보검이옵니다."

계백이 박박의 손에 칼을 쥐어주었다.

"어머님을 지켜달라는 부탁이다."

"받을 수 없사옵니다."

타로가 나섰다.

"이 정도 명검은 돼야 우리 공주님을 보호해드릴 수 있죠. 박박 아저씨, 부탁드립니다. 선화공주님뿐만이 아니라 우리 대왕님과 백성들까지 잘 지켜주세요."

박박이 금과 옥으로 장식된 칼집을 벗겨냈다. 햇빛을 반사하는 신라의 칼은 강강해보였다. 세 사람은 한동안 시선을 주고받았다. 갯벌에 빠진 듯 계백은 발걸음을 떼지 못했고 타로는 눈시울을 붉혔다. 이제 길을 재촉해야 했다. 왜국의 도읍 나라까지는 멀고 험한 길이었다. 오래오래 손을 흔들던 타로가 무거운 걸음을 내딛었다. 박박은 계백과 타로가 보이지 않을 때까지 서 있었다.

소나기 소리를 내며 가랑잎이 땅 위를 굴러다녔다. 계백은 저만치 앞서 걷고 있었다.

"왕자님, 같이 가셔요."

찬바람이 털옷을 파고들어 가슴이 시렸다.

"박박 아저씨를 다시 볼 수 있겠사옵니까?"

"걱정마라. 네가 장가갈 때까지는 끄떡없겠더라."

"저는 이삼 년 안에 장가갈 생각이온데, 박박 아저씨가 그거밖에 못 산다는 말씀이옵니까?"

"이삼십 년일 테지."

타로는 가슴이 철렁했다. 계백의 선견과 예언은 틀린 적이 없었다.

"농담이시죠? 왕자님, 농담이라 말씀해주세요."

노파심에서 타로는 계백에게 묻고 또 물었다. 계백이 웃으며 고삐를 움직여 재갈을 풀었다. 계백은 남쪽으로 말을 몰았다.

신라와의 국경에 이르러 계백과 타로는 옷을 바꿔 입었다. 계백이 타로가 되고 타로가 계백이 되었다. 이제 사람들의 시선은 타로에게 쏠릴 것이었다. 신분이 높은 이가 뭇시선을 받기 마련이었다.

몇 해 전 신라의 지방관원이 계백을 알아보고 환대를 한 적이 있었다. 선화공주의 아들인 계백은 신라인들에게는 신라의 아들이었다. 계백을 맞는 신라인들의 그 마음씨는 한편 고마웠고 한편 부담스러웠다. 계백은 이번 여정에선 김유신, 김알천 그리고 여왕, 이 세 명만 만나고 왜국으로 떠날 작정이었다.

계백과 타로가 서라벌 남산 자락을 지날 때 눈이 내리기 시작했다. 서설 치고는 양이 많았다.

"눈이 흔치 않은 서라벌 아니옵니까. 좋은 일이 있으려나 보옵니다. 혹시 제 운명의 여인이 나타날 징조 아니겠사옵니까?"

계백은 손을 뻗어 하늘에서 내려오는 순백의 눈을 받았다. 세월을 거슬러 철부지 어린애가 된 듯 타로의 웃음이 싱그러웠다. 타로의 미소에서 불현 듯 계백은 지난날의 눈사람을 떠올렸다.

"그 아이는 어떻게 자랐을까?"

"그 아이라니요?"

"강수라는 아이 말이다."

"그, 머리에 뿔이 난 것처럼 괴상하게 생긴 그 아이요? 아직도 그 천한 꺼병이 녀석을 기억하시옵니까?"

"타로야, 내가 김유신공의 동향을 살피고 알천閼川공 댁에 가 있을 동안 강수란 아이의 행적을 수소문해 보거라. 그 아이는 반골의 피가 흐른다. 세상을 뒤집을 만한 살기가 보여 칼을 잡지 마라며 붓을 주었던 것이다. 그때 말이다."

낯선 풍광에 계백이 갑자기 걸음을 멈췄다. 저기 황룡사 구층탑이 웅장하게 서 있었다. 누렇게 칠한 나무가 금을 입힌 듯 반짝거렸다. 탑은 똬리를 틀고 있던 황룡이 땅에서 막 승천하는 형상이었다. 황룡사 고탑은 서라벌의 자존심이었다. 구층탑의 한 층은 제각각 신라 주변에 있는 한 나라를 상징했다. 구층탑은 아홉 나라를 품에 안고 비상하려는 서라벌의 꿈이었다.

"올해 완공했다는 황룡사 구층탑인가 보옵니다. 정말 장관이옵니다. 이백 척이 넘는 탑을 쌓는다고 해서 순 거짓말인 줄 알았는데, 고구려 요동성 육왕탑보다 높사옵니다. 백제의 명장 아비지阿非知가 만들었다면서요? 아비지라는 사람, 저렇듯 기술이 좋으니 돈 많이 벌었겠습니다. 왕자님, 한번 올라가 보시어요. 왜국에서 언제 돌아올지 기약도 없잖사옵니까."

타로의 권유가 아니더라도 계백은 올라가볼 작정이었다. 서라벌의 정경을 가슴에 마지막으로 한 번 더 담아두고 싶었다. 신국 서라벌은 그리운 어머니의 고향이었다. 계백의 심장에 휘도는 피의 반은 신라의 것이었다.

타로는 일부러 곁눈질을 하지 않으며 올라갔다. 탑의 꼭대기에 이르러서야 바깥을 내다보았다. 신들이 사는 하늘에서 보는 듯 딴 세상이었다. 사뿐히 내려앉는 눈이 천년 고도에 서서히 겨울옷을 입혔다. 안압지는 알록달록한 비단에 스민 한 방울의 생수였고, 다섯 왕들이 옹기종기 모여 있는 오릉과 첨성대는 색종이에 찍어 놓은 방점 같았다. 새하얀 실로 수를 놓는 듯 아롱다롱한 건축물이 순백이 되어갔다. 천국의 백설은 대지를 포근히 감싸고 있었다. 감탄사를 내뱉던 타로는 벌어진 입을 다물지 못했다.

서라벌은 장구한 역사보다 더 오랜 신화가 꿈틀거리는 고을이었다. 한 발짝씩 나아갈 때마다 서라벌이 신비로운 자태로 다가왔다. 반갑다고, 어서 오라고 계백과 타로를 재촉하는 듯했다. 어릴 적 걸음마를 시작할 무렵에 서라벌을 떠나왔다. 추억의 그림자도 없는 서라벌이지만 왠지 애착이 갔다.

*

계백과 타로가 강수를 처음 만났던 십여 년 전의 그 날도 바람이 세찼다. 탄금대를 휘도는 가야금 소리도 얼어붙을 듯 추웠다. 세 갈래의 물줄기가 탄금대 앞에서 마주쳤다. 그곳에서 하나가 된 강은 제 심장이 멈춰버린 거 같았다. 강물은 두꺼운 얼음장 아래로만 나지막이 흘렀다. 얼어붙은 강은 설원이 펼쳐진 듯 더 넓었다. 우거진 송림에 수북이 내려앉은 하얀 눈은 큼지막한 꽃송이 같았고 듬직한 바위에 쌓인 눈은 하얀 털모자처럼 따뜻해 보였다. 노랫가락이 휘감던 우륵의 탄금대를 흰 눈이 뒤덮고 있었다.

감미로운 햇살에도 사라질 눈의 운명이 타로의 심금을 파고들었다. 타로는 가야금 열두 곡으로 부활한 가야의 열두 나라를 노래했다. 눈처럼 쌓였다가, 고드름처럼 뭉쳤다가 물로 녹아내린 가야국이었다. 흩어진 눈은 가벼웠고, 산더미 같은 눈은 마적처럼 사나웠다. 가야의 노랫가락이 흩날리는 눈발처럼 타로의 가슴에 들어찼다.

우륵의 12곡과 그 노랫말은 다채로웠다. 태양신을 찬미하는 음악은 웅장했고, 밤늦도록 이어지는 제천에 어울리는 선율은 달빛 같았다. 세련된 하가라도는 김수로왕의 음악이었고 투박한 저 노래는 백성들의 가락이었다. 어떤 곡은 가야인의 사랑을 담았고 상가라도는 대가야국의 영광을 얘기했다. 때로는 고단한 백성들의 삶처럼 애달팠고 때로는 풀밭에서 뒹구는 남녀처럼 음란하기 짝이 없었다.

나이어린 타로는 어른들의 세계가 궁금했다. 그래서인지 음탕한 노래가 제일 맘에 들었다. 남녀의 교합을 상상하면서 신나게 불러댔다. 타로의 노랫소리가 점점 커져갔다. 옆에서 말없이 걷던 계백도 콧노래를 흥얼거렸다. 저기서 아이들이 아웅다웅하고 있었다.

"내 눈사람이 더 커!"

"내 눈사람이 더 크다니까. 그러니 내가 화랑이고 너는 낭도다. 앞으론 내 말에 무조건 따라라."

"아니라니까!"

한 아이가 부랴부랴 제 눈사람을 손질했다. 눈사람에 눈뭉치를 덧붙인 아이가 말다툼에 끼어들었다.

"다퉈봐야 소용없다고. 내가 이겼어. 봐. 내 건 대왕 눈사람이다."

"에게, 이 쪼그만 게 왜 대왕 눈사람이야?"

"왜냐면 말이지, 똑똑히 봐!"

아이가 가리킨 건 눈사람의 배에 길쭉하니 달려 있는 눈뭉치였다. 하나

둘씩 아이들이 키득거리기 시작했다.

"지증대왕 눈사람이다!"

아이들은 신이 나서 떠들어댔다.

"대왕님 그게 내 팔뚝만큼이나, 하여간 엄청나게 컸대."

"길이가 한 자도 넘었대. 그래서 왕비들이 다 도망가 버렸대."

"야! 그럼 더 크게 만들었어야지. 시시하게 이게 뭐야."

키득거리던 타로가 눈을 뭉치기 시작했다. 아이들에게 다가간 타로가 뭉친 눈덩이를 지증대왕 눈사람에다 붙였다. 아이들이 까르르 웃었다.

"황소불알이다!"

눈 오는 날 아이들이 노는 모습은 국경을 초월해 있었다. 어머니의 나라 신라의 풍경은 아버지의 나라 백제와 하나같았다. 같이 웃던 아이 하나가 지증대왕의 성기를 부숴버렸다. 그러고는 무릎을 꿇고 큰절을 했다.

"야, 강수! 재밌는데 왜 그래."

"큰절은 또 뭐야? 하여튼 저 녀석은 괴짜라니까."

강수強首가 아이들에게 말했다.

"아무리 장난이라도 지증대왕님을 놀리면 안 돼. 제사에 쓸 소로 농사를 짓게 하신 분이거든. 그뿐인 줄 알아. 대왕님은 순장도 금지한 훌륭한 임금님이셔. 그게 다 백성들을 위한 거야."

강수가 타로를 나무랐다.

"얼른 대왕님께 잘못했다고 비세요."

타로는 어이없어 계백을 바라봤는데 그는 웃기만 했다. 타로가 강수에게 내대었다.

"내 질문을 맞히면 대왕님께 잘못을 사죄하겠다. 네가 옛일을 좀 아는 듯하니 신라의 역사문제를 내겠다. 박혁거세의 '박'은 무엇을 상징하는 거냐?"

강수가 곧장 대답했다.

"그야 쪽박이죠."

"쪽박이라고?"

강수가 깔깔거렸다. 타로의 어수룩함을 제대로 놀렸다는 웃음이었다.

"이번엔 제가 장난 좀 쳤습니다. 실은 이거죠."

강수는 눈 위에 木을 그리고, 솟대를 가리키며 卜을 허공에 그렸다.

"朴, 왼쪽은 나무고, 오른쪽은 솟대 모양새와 닮은 한자로, 나무로 만든 솟대! 그러니까, 박혁거세는 소도라 불리던 땅을 다스리는 천군인 거죠."

강수가 웃으며 팔짱을 꼈다. 서역 어떤 나라에선 박은 그냥 왕을 가리키는 말이라던데 타로는 확신하지 못했다. 그보다 어려보이는 강수에게 지기 싫어 또 질문을 했다.

"그럼, 솟대 위의 새는 무슨 새냐?"

다른 아이가 자기도 이 문제는 안다는 듯 끼어들었다.

"오리예요. 우리 엄마가 오리라 하셨어요. 오리가 맞아요."

아이들이 앞 다투어 오리라고 떠들었는데 강수가 고개를 가로저었다.

"솟대 위의 새는 거위예요. 신의 사자 자격으로 이 땅에 와 있는 거죠. 그래서 하늘에 제사지낼 때 거위를 바치는 것이랍니다."

결국 타로가 졌다며 대왕 눈사람에게 절을 올렸다. 아이들이 알나리깔나리 눈사람한테 절했데요, 노래하듯 타로를 놀려댔다. 계백이 강수에게

다가갔다.

"우리가 다시 만날 날이 있겠구나."

"아저씬 누구세요?"

수염이 막 자라나기 시작한 계백은 강수의 눈에는 어른이었다. 계백을 바라보는 강수의 눈이 반짝거렸다. 불쑥 타로가 끼어들었다.

"넌 어려서 잘 모르겠지만 말이다. 이 분을 말씀드리자면, 팔목구이八目九耳라는 분이시다."

계백의 본명은 백제승百濟升이었다. 계백은 그의 별칭이었을 뿐이다. 그런데 타로는 이 계백이라는 별칭도 곧잘 함구했다. 계백[1]은 '왕을 만난다'는 뜻이라 눈치 빠른 사람들에겐 별칭도 위험했다.

부여씨에서 분파한 백제씨는 곧 계백의 신분이었다. 부여씨가 아닌 백제씨는 같은 왕족이지만 백제의 왕이 될 수 없었다. 반란을 일으키기 전에는.

계백이 품에서 물건을 꺼내 강수에게 주었다.

"이 붓이 나보다 네게 더 잘 어울리겠다. 네 밝은 마음처럼 곧은 글을 쓰도록 하거라."

수상쩍은 말을 남기고 떠나는 계백을 강수는 뚫어져라 쳐다보았다. 아이들은 고급스러워 보이는 붓을 구경하느라 야단법석이었다. 먼저 만져보겠다며 앞을 다투자 강수가 아이들에게 구경할 순서를 정해줬다. 강수는 멀어져가는 계백의 뒷모습을 오래도록 바라보았다.

'내가 임나가야인이란 걸 어떻게 알았지! 팔목구이라는 우스꽝스러운 별호는 또 뭐고!'

강수가 두 손으로 제 머리를 더듬었다. 그는 정수리 양쪽 옆으로 머리 뼈가 볼록 튀어나와 있었다. 편두의 흔적이었다. 편두는 뒤통수 뼈를 납작하게 눌러 길쭉하게 만든 머리로 임나가야의 전통이었다. 강수의 머리는 편두를 만들려다 어그러져 역삼각형이었다. 강수의 머리에 상흔으로 남은 편두는 과거가 아니라 그의 미래였다. 그의 소망은 망국 임나가야의 부활이었다.

1) 계백(階伯)은 지금의 경기도 행주인 개백(皆伯)과 발음이 같다. 삼국사기에 이 지명의 유래가 나와 있다. '개백'은 '왕을 뵙다'라는 뜻이다. 王逢=遇王=皆伯.

신을 만난 사나이 **37**

3. 평화를 위해서

객이 대문 앞에서 알천공을 찾았다. 문을 열고 집사가 나왔다. 집사는 말몰이꾼의 행색이었지만 떠돌이 나그네가 아니라는 걸 단박에 알아챘다. 그림 같은 눈썹과 빛나는 눈, 귀티가 휘도는 이 얼굴을 아로새기고 있었다. 집사는 손님의 신분과 이름을 입 밖에 내지 않았다.

"아이고, 오셨사옵니까?"

집사가 넙죽 절을 올렸다. 안채로 부리나케 달려간 집사가 김알천金閼川을 모시고 왔다. 김알천은 신을 신지도 않고 손님을 마중 나왔다. 객이 털가죽 신 한 짝을 벗어 맨발로 눈을 밟고 있는 김알천에게 건네주었다. 김알천이 웃으며 신을 꿰찼다. 대문 안쪽에 들어서자 수북이 눈이 쌓인 널따란 뜰이 펼쳐져 있었다. 손님과 집주인은 담소를 나누며 나란히 걸었다. 어느 결에 두 사람은 어깨동무를 하고 있었다. 김알천은 연배는 훨씬 높았지만 계백과 항렬이 같았다. 둘은 국적과 혈통과 나이를 뛰어넘어 우정을 나누는 사이였다.

귀한 손님의 방문에 집안 노비들의 손길이 분주했다. 힐끔힐끔 계백을 쳐다보는 하녀들의 눈길도 바빴다. 한 시녀가 김알천의 늦둥이 막내딸 아라鴉羅에게 달려갔다. 김아라가 말했다.

"계백왕자님이 오셨다고? 당분간 안 오실 줄 알았는데, 천명이로구나."

"그분이 아씨께서 낭군으로 점찍어뒀다는 분이옵니까? 그런데 그분은 혼인하셨다면서요?"

"쓸데없는 말 말고 길 떠날 채비를 해두어라. 궁에 들어가 여왕님을 뵈어야겠다."

"아씨, 아니 되옵니다. 지금이 어느 때인데 그런 소리를 하시옵니까. 우리는 당나라 편, 백제는 고구려 편이었잖습니까."

"그러니까 기회지. 내가 백제와 화평까지는 아니더라도 이 험악한 분위기를 조금은 누그러트릴 수 있다. 고구려가 이기는 바람에 우리 신라의 처지가 어려우니, 이번엔 계백왕자님도, 아버님도, 여왕님도 모두 찬성하실 거야."

시녀가 채비를 하는 동안 김아라는 어린 시절을 회상했다.

계백이 김알천의 집을 찾아왔을 때였다. 김알천은 늦둥이 여식 아라를 계백에게 자랑하고 싶었다. 시녀의 손을 잡고, 아라가 제 빨간 치마에 수놓아진 토끼처럼 앙증맞게 강중강중 뛰어 왔다. 김알천의 바람과 달리 아라는 계백의 품에 덥석 안겼다. 계백은 무안해했고 팔을 벌렸던 아버지는 서운해 했다.

아라는 계백을 쫓아다니며 놀아달라고, 옛날얘기 해달라고 떼를 썼다.

계백이 응해주지 않으면 아라는 곧바로 울어버렸다. 쩔쩔매며 계백은 새
끼손가락을 내밀곤 했다.

"약속, 딱 하나만이다."

아라는 언제 울었냐는 듯 예쁘게 고갯짓을 하며 계백의 품속을 파고들
었다. 아라는 엉거주춤 안고 있는 계백의 팔을 끌어다 제 몸을 감쌌다. 옛
날얘기를 해주는 계백의 음성에는 다정함이 배어있었다. 계백은 '호랑이
와 곶감' 이야기를 손짓 발짓을 동원해가며 들려줬다. 아라는 초롱초롱 눈
을 밝히며 옛날이야기를 경청했다. 계백이 아라에게 물었다.

"곶감이란 말에 왜 호랑이가 도망쳤을까?"

모르겠다는 듯 아라가 고개를 가로저었다.

"아라야, '감'은 옛말로 호랑이란다. 먹는 감과 그 소리가 같아. '곶'은 옛
날엔 '고지', 또는 '구지'[2]라 하기도 했는데, 대왕이란 뜻이야. 그렇다면, '
곶감'은 뭘까?"

아라가 소리를 내질렀다.

"대왕! 호랑이! 대왕호랑이잖아."

아라는 계백과의 약속을 어기고 옛날이야기 하나 더 해달라며 계백의
뒤를 졸졸 따라다녔다. 저녁을 먹는 둥 마는 둥 하고는 베개를 들고 계백
의 방으로 들어갔다.

계백이 김알천의 집을 떠나면 아라는 며칠이고 울었다. 아라 어머니는 '
옛날얘기 오라버니'만 찾으며 울먹이는 딸을 달래느라 애를 먹곤 했다.

세월이 흘러 639년 계백과 다시 만났을 때 아라는 소녀티를 갓 벗은 처
자였다. 하지만 아라는 어린 날의 풋풋함이 남아있는 소녀에 더 가까웠

다.

"오라버니."

계백은 아라의 호칭에 당황했다. 따지자면 아저씨라 불렀어야 맞다. 그런 아라가 낯선 타로도 당황했다. 계백에게서 듣고 외워두긴 했는데, 알천공 댁 영랑 이름이 뭐였더라? 타로는 기억을 해냈다. 아라, 아라 아가씨! 주군의 조카뻘 되는 이 소녀의 이름은 아라였다. 계백이 어색한 듯 웃기만 하자 타로가 끼어들었다.

"오랜만에 만난 조카에게 예전처럼 옛날얘기 하나 해주시지도 않고 뭐 하시는 것이옵니까."

계백이 웃음을 터뜨리자 아라가 입을 가리고 미소 지었다. 서먹하던 분위기가 부드러워졌다. 아라는 타로가 고마웠다.

점심을 먹고 김알천이 계백에게 사냥을 가자고 했다. 아라는 아버지가 원망스러웠다. 계백과 김알천이 뒤뜰에서 사냥 갈 채비를 하고 있었다. 사냥터로 따라가겠다는 듯 아라가 말을 끌고 나타났다. 김알천이 위험하다고 말리자 대뜸 아라가 말했다.

"아버님이 아니라 오라버니를 따라가려는 겁니다!"

저도 모르게 속내를 드러낸 아라가 제 방으로 담박질했다. 방 안에 들어왔어도 고동치는 심장 소리를 남들에게 들킬 것만 같았다. 아라는 가슴에 손을 얹고 거울을 들여다봤다. 볼이 빨갛게 상기되어 있었다. 아라는 얼굴에 분을 바르고 입술에 붉은 칠을 했다. 머리를 가지런하게 땋고 예쁜 옷으로 갈아입는 아라의 가슴은 두근거렸다.

해질 무렵 김알천과 계백이 사냥에서 돌아왔다. 아라는 두 사람이 담소

2) 구지가龜旨歌의 주인공 수로왕, 박혁거세의 '거세', 가야금을 만든 '가실'嘉悉왕도 '구지'. 신왕神王.

신을 만난 사나이 **41**

를 나누는 방으로 들어갔다. 다소곳하게 앉은 아라가 계백을 바라봤다. 김알천은 딸을 지켜보았다.

"소녀, 왕자님께 혼인을 청하옵나이다."

어리둥절한 계백이 김알천의 얼굴을 쳐다봤다. 김알천이 고개를 끄덕였으나 계백은 고개를 저었다.

"마음만 고맙게 받겠다."

아라는 울먹이면서 방을 뛰쳐나왔다. 그 뒤로 여섯 해가 훌쩍 지나갔다.

*

645년.

오늘은 계백이 왜국으로 먼 길을 떠나는 날이었다. 김알천은 딸아이가 보이지 않는 것이 수상쩍었다. 누구보다 먼저 계백을 배웅해야 마땅했다. 계백도 내심 그리 생각하고 있었다. 계백이 눈으로 집 안을 훑으며 말했다.

"이만 가보겠습니다. 거자필반이라 하였으니 또 만날 날이 있겠지요."

"이 사람아, 회자정리는 맞는 말이지만 거자필반은 항상 맞는다 할 수 없지 않은가? 돌아 올 텐가? 그럴 생각이 있기나 한 것인가?"

계백이 어색하게 웃었다.

"심려를 끼칠 거 같아 이 말씀은 안 드리려 했으나, 지금 왜국에 가면 언제 돌아올지 몰라 한 말씀 드려야겠습니다."

"무슨 말인가?"

"알천공, 김유신을 조심하십시오. 그리고 강수라는 아이를 한번 찾아보십시오. 그 아이가, 이젠 애가 아니라 장부가 됐겠습니다. 가야출신인 그 둘이 어울린다면 더욱 조심하셔야만 합니다."

"강수? 처음 듣는 이름인데."

하루만 더 머물고 가라는 김알천을 뒤로하고 계백은 발걸음을 옮겨 서라벌에서의 마지막 일정인 월성으로 갔다.

궁전 안을 떠도는 매혹적인 침향과 달리 여왕의 기침소리는 무거웠다. 반백인 여왕은 기력까지 없어보였다. 감기가 들고 세월이 흘렀기 때문만은 아니었다. 신라의 국력이 기울어갈수록 여왕의 권위도 시들해졌다. 후계자가 없는 탓에 더욱 초라해 보였다. 외로움이 묻어나는 여왕의 주름진 얼굴에 계백의 마음은 저렸다. 다음 왕위를 노리는 골품귀족들이 수두룩한 것도 마음에 걸렸다. 이런 여왕을 아버지의 나라 백제가 창칼로 위협하고 있었다. 선덕여왕은 최악의 상황에서도 다정함을 잃지 않았다.

"우리 미남 조카님 오셨는가."

여왕은 조카 계백의 얼굴에서 동생 선화공주의 모습을 보았다. 계백의 어깨를 토닥여주고 자애로운 표정으로 그의 얼굴을 바라보았다. 선덕여왕은 덕담 겸 뼈있는 말을 계백에게 건넸다.

"너 같은 왕재가 세상을 주유하니 백성들이 불쌍하구나. 백제에는 태자가 있으니 차라리 네가 신라의 왕이 되는 게 어떻겠느냐? 이 옥좌만을 탐내는 진골 귀족들보다야 네가 훨씬 낫지 싶다."

"이제나 저제나 기다리고 있었사옵니다. 내일당장 신라의 왕위를 물려
받겠사옵니다."

선덕여왕이 눈을 동그랗게 떴다.

"하온데 조건이 하나있사옵니다. 내일모레 제가 이모님께 다시 양위를
하면 꼭 받으셔야 하옵니다. 약조만 하시면 신라의 왕이 한번 돼보겠습니
다. 어떻게 하시렵니까? 저랑 약조 하시겠사옵니까?"

여왕이 아주 오랜만에 환하게 웃었다. 조카의 농이 왕위를 가벼이 여기
지 말라는 쓴 소리임을 헤아렸다. 여왕이 웃음기를 거두었다.

"오늘 궁에서 열리는 연회에 참석하거라."

"무슨 경사가 있사옵니까?"

"월지궁에서 혼사가 있단다."

"이곳 궁에서의 혼사라면, 설마?"

여왕이 미소를 짓는 동안 한 여인이 실내로 들어섰다. 여인은 화려한 대
례복 차림이었다. 여왕이 계백에게 말했다.

"계백아 저 여인을 똑바로 보거라."

아라였다. 그녀는 갑옷을 챙겨 입은 장군처럼 비장한 표정으로 서 있었
다. 대례복에 딸린 장신구는 어머니 선화공주의 것과 같았다. 여왕이 친
히 아라의 치장은 물론 화장까지 도와준 듯했다. 아라의 자색은 대례복의
비단을 뚫고 나올 만큼 돋보였다. 그녀의 미색에 비하면 황금과 보옥으로
된 패물은 볼품없었다. 계백은 어지러웠다. 아라의 곡옥귀고리에서 아련
한 어머니의 향수를 느꼈다. 계백이 아라에게 말했다.

"네가 여긴 어인일이냐? 대례복은 또 무엇이고?"

선덕여왕이 웃으며 말했다.

"이 밤 월성에서 열리는 연회의 주연은 바로 너다."

계백은 귀를 의심했다.

"대왕! 저는 이미 혼인한 몸이옵니다."

"네 부인이 죽었다는 걸 알고 있다. 세상을 뜬 지 얼마 안 된 그녀에겐 미안하지만, 혼인을 하지 않은 나도 미혼이 미덕이라 여기지 않는다. 또한 두 나라 간 국혼이 처음은 아니다. 선화공주는 물론이고, 백제의 보과공주도 법흥대왕님이 사신으로 백제에 갔을 적에 신라로 따라오지 않았느냐."

여왕이 아라의 손을 잡았다.

"여기에 그런 사랑이 또 있구나. 아라가 너를 쫓아 백제로 가겠다는구나. 나는 혼인하지 못해서인지 아라가 부럽구나. 선화공주도 흐뭇해할 거다. 내가 나을신궁에 가서 두 사람의 행복을 오래도록 빌어주겠다."

여왕은 계백과 아라의 혼인이 불러올지도 모를 신라와 백제 사이의 난해한 외교문제는 언급하지 않았다.

"이곳 월성에서 첫날밤을 보내라. 두 사람을 위해 월지궁을 신방으로 꾸며 놓았다."

여왕이 아라의 손을 한 번 잡아주고 방을 나섰다. 먼저 아라가 말했다.

"이제 제 마음을 받아주실 때가 되지 않았사옵니까?"

"네게 걸맞은 연분이 있을 것이다. 게다가 나는……."

"백제가 아닌 그 어디라도 그대를 따라 가겠사옵니다. 이번에도 내치시면 전 죽을 것이옵니다."

계백이 고개를 들어 아라를 보았다. 아직 철부지였다. 귀하게만 자란 탓에 역경이 닥치면 이겨낼 수 없을 듯싶었다. 계백은 은고가 마음에 걸렸다. 과연 아라가 은고의 시샘을 견뎌낼 수 있을까. 계백은 다시 아라의 눈을 응시했다. 그녀의 눈은 깊었고 헤아릴 수 없는 깊은 심지가 서려 있었다. 계백의 마음을 꿰뚫은 듯 아라가 말했다.

"아무리 험난한 길이라도 이겨낼 것이옵니다. 그것이 사랑이라고 생각하옵니다."

계백은 아라가 사랑을 믿는 철부지가 아니길 바랐다.

"백제와 신라의 화친을 우선 생각할 것이다. 두 번째가 사랑이다. 그래도 괜찮겠느냐?"

아라는 망설이지 않았다. 계백의 속내를 짐작하고 있던 터였다.

"거문고 소리로 백아의 마음속을 읽어낸 종자기가 되도록 노력하겠사옵니다. 절 믿어보십시오."

타로의 기침소리에 계백은 잠에서 깨어났다. 허겁지겁 옷을 걸치는 계백을 타로는 빤히 쳐다보았다.

"새장가를 가시더니 얼굴에서 영롱한 빛이 다 나옵니다."

계백은 타로의 말을 건성으로 들으며 잠자리를 두리번거렸다.

"부인께서는 새벽닭이 울기도 전에 댁으로 가셨사옵니다. 양친께 인사드리고 오늘당장 백제로 가신답니다. 세상에, 짐을 진즉에 싸두셨답니다. 부인께선 조나라와 고구려 요서의 미녀만큼이나 어여쁘신데, 성미가 보

통이 아니옵니다. 제 짧은 판단으로는 아무래도 왕자님이 잡혀서 사시겠
사옵니다."

계백이 말했다.

"참, 강수는 소문이 어떠하더냐?"

"왕자님, 첫날밤은 어떠셨사옵니까?"

타로는 얼른 입을 다물었다. 계백의 표정이 다그치고 있었다.

"결론부터 말씀드리면, 강수는 부모의 반대를 물리치고 미천한 여인과
혼인했답니다. 대장장이의 딸과 청년일 때부터 정을 통했답니다. 그걸 알
고 부모가 반대를 했다지 뭡니까?"

"그래서?"

"강수의 부모가 말하기를, '네 명성이 높아 모르는 사람이 없는데, 미천
한 여인을 정식 처로 삼으려 하니 너와 나 모두에게 부끄러운 일이다.' 강
수의 신분에 어울리는 여자를 얻으라고 했답니다. 그런데 '망국의 백성이
존귀가 어디 있겠습니까? 빈천이 부끄러운 게 아니라, 도리를 배우고 행
하지 않는 것이 부끄러운 일입니다.' 이리 단호하게 강수가 뿌리쳤답니다.
그 괴짜 녀석, 혼인도 꼭 저같이 했습니다요."

"반골 기질에, 기개도 있구나."

"왕자님 말씀이 딱 맞았사옵니다. 아주 괴팍한 놈이옵니다. 좀도둑질에
싸움질이나 하던 건달 유방劉邦이 황제가 될 정도로 난세라면 몰라도, 타
고난 신분을 따르지 않음은 위아래의 순리를 어지럽히는 것이옵니다. 그
런 놈은 일찍이 싹을 잘라야 하옵니다."

계백이 타로의 말을 잘랐다.

"한때의 언약을 저버리지 않는 강수는 의인이다. 의로운 사람은 비록 적이라 할지라도 죽이는 게 아니다."

"왕자님! 그의 꾀와 재주가 보통이 아니옵니다. 사람들이 이르기를 신라 역사상 제일가는 신동이랍니다. 자칫 재주를 잘못 쓸지도 모를 일이잖사옵니까."

계백이 타로를 부르며 말했다.

"타로야. 됨됨이가 그의 재주보다 앞서는구나. 그의 피를 보고 싶지 않구나."

"네, 압니다요. 알겠사옵니다요. 그런데 강수는 태어나면서부터 말을 알아듣고 두 살 때 문자를 깨우치고, 에, 또 세 살 때 붓을 잡았답니다. 그리고요, 이건 진짜 극비인데요, 연전연패하는 신라가 지금까지 망하지 않은 이유가 강수의 심오한 지략 때문이랍니다요. 강수가 병법에도 통달해 김유신에게 미리미리 계략을 알려준답니다요. 국경에서 멀리 떨어진 제 방구석에서 말이옵니다. 강수를 살려둬서는 아니 되옵니다요."

계백이 고개를 저어도 타로는 물러서지 않았다.

"그토록 꺼리신다면 제가 다른 방법으로 그를 없애겠사옵니다. 것도 아니시라면, 그를 백제로 불러들이도록 한번 꾀어 보는 건 어떻겠사옵니까요?"

"아서라, 그렇게 신의 있는 사람이 재물에 마음이 동할 리 없다."

타로는 계백이 은고와의 독대 이후 소심해진 듯해 불만이었다. 하지만 신의 있는 사람을 죽이는 것은 타로도 꺼림칙하기는 했다. 사내구실을 못하는 강수가 가엾게도 느껴졌다. 그의 처가 남근 모양의 목각상을 은밀히 장만했다는 추문이 돌았다. 타로는 강수의 신체에 대한 비밀을 주군에게 터놓지 않았다.

"그나저나, 제가 저잣거리에서 호피를 다루는 갖바치에게서 들었사온데, 알천공이 호랑이 두 마리를 맨손으로 때려잡았답니다요. 알천공께서 신분도 높은 데다 완력도 세니, 뚱보 춘추공, 야심 많은 유신공, 심지어는 상대등 김비담金毗曇도 꼼짝 못한답니다. 이건 진짜 비밀인데요. 알천공께서 화백회의를 좌지우지하니 나중에 신라의 왕으로 등극할 가능성이 농후하다 하옵니다."

"그래서?"

"그래서라니요? 왕자님이 신라대왕의 사위가 되는 거 아니옵니까."

타로는 하늘을 향해 두 팔을 뻗으며 재잘거렸다.

"앙숙이던 두 나라 사이에 평화가 찾아오려나 보옵니다. 전쟁에 지친 서라벌 백성들이 이렇듯 말하옵니다. '배불리 먹는 게 첫째가는 소원. 베개 높이 베고 발 쭉 뻗고 자는 게 그 다음 소원이오.' 아시겠지만 우리 백제 백성들도 그다지 다르지 않사옵니다요. 전쟁이 없는 왜국으로 건너가려는 사람이 한둘이 아니니. 참, 왕자님은 신라, 백제 중 어디에 신혼집을 꾸미실 것이옵니까? 예정대로 왜국에서 사시는 거도 무방할 듯하옵니다만."

타로의 말을 들으면서도 계백은 강수를 생각했다. 강수는 조국 임나를 멸망시킨 신라의 골품에 얽매이지 않았다. 임나가라 왕족의 후예인 그의 혼인은 골품제와 신라, 나아가 세상이 정한 질서에 대한 반항이었다. 고장 난 나침반 같은 그 반항의 끝이 어디로 향할지 아무도 알지 못했다.

4. 온정을 실은 수레

김알천은 멀리 떠나가는 딸을 향해 일부러 더 환하게 웃었다. 그런 아버지의 심정을 헤아린 딸도 함박웃음을 지었다. 아라는 작별 인사라는 생각이 들지 않도록 경쾌하게 손을 흔들면서, 아버지가 어서 들어가기를 바랐다. 시간을 더 지체하면 울음을 참지 못할 것 같았다.

김알천은 딸에게 시녀 두 명과 황금을 가득 실은 수레를 내주었다. 그는 딸을 다시 못 볼 각오도 했다. 신라와 백제의 미래관계는 그 누구도 장담할 수 없었다. 앞으로 언제 어떤 상황이 전개될지 몰랐다.

계백 일행이 서라벌을 벗어날 즈음 아라가 타로를 찾아 불렀다. 그녀는 중매 값이라며 타로에게 황금 한줌을 주었다. 덥석 황금을 받은 타로가 계백의 눈치를 살폈다. 계백이 불쑥 손을 내밀었다. 타로는 순순히 황금을 내주었다. 계백은 손으로 금의 무게를 가늠했다. 그러더니 얼추 비슷한 양의 황금을 더 얹어 타로에게 되돌려주었다. 타로 입이 떡 벌어졌다. 때 아닌 횡재로 싱글벙글한 타로를 계백이 찾아 불렀다.

"이 황금 수레를 알천공 댁에 다시 갖다드려라. 아무도 몰라야 한다."

타로는 곧장 김알천의 집으로 갔다. 김알천 몰래 집사를 꾀었다.

"내년 봄 알천공께서 이 일을 들으신다면 그대에게 금덩이를 하사하실 것이오. 황금 보기를 돌같이 한 그대의 충직에 감탄할 것이오. 내 장담하오."

그날 한밤중 타로와 집사는 부지런히 몸을 놀렸다. 뒤뜰에 쌓인 눈을 응달진 구석으로 몰아 차곡차곡 쌓아올려 눈덩이 탑을 세웠다. 타로는 그 눈덩이 속에 황금을 숨기고 집사에게 다짐을 받아냈다.

"두 나라의 화목이 그대의 혀에 달렸으니, 만일 일을 그르치면 그대는 화를 면치 못할 것이오. 이 또한 내 장담하오."

열 해 넘도록 계백을 수행한 타로에게 이런 일쯤은 식은 죽 먹기였다. 타로는 일처리를 마친 뒤 계백에게 보고했다. 계백은 눈이 녹을 무렵에 알천 공에게 서찰을 보낼 생각이었다. 어여쁜 따님을 주신 것만으로도 황송하오니 황금벼락은 장인께서 맞으시라고 농을 건넬 참이었다.

계백 부부를 맞이한 백제왕실은 어정쩡한 반응을 보였다. 의자왕은 그들을 반겼지만 은고는 난색을 보였다. 의자왕에게 예를 갖추려 입궁한 아라는 은고와 마주쳤다. 아라의 빼어난 미모가 은고의 질투심을 더 자극했다. 은고는 아라를 노려보았다. 아라는 시들어 가며 콧대만 높이는 왕비의 시선을 정면으로 받았다.

저것이, 감히! 은고는 심사가 트레트레 꼬인 서어나무처럼 뒤틀렸다. 제 것을 도둑맞은 양 분노가 치솟았다. 은고의 화를 더욱 돋운 건 백옥 같은 아라의 피부였다. 티 없이 맑은 저 살갗에 독액이라도 끼얹어 흉터를 남기고 싶었다. 고이는 주름진 제 얼굴이 절명하듯 떨어져 내린 동백꽃처럼 끔찍해 보였다. 여인으로서의 자존심이 있는 대로 구겨졌다.

아라의 불손한 태도를 빌미삼아 은고는 사비궁 출입명부에서 아라의 이름을 지웠다. 그 사실을 알게 된 계백은 은고의 처사에 개의치 않았다. 아라 역시 껄끄러운 동서를 대하느니 부딪치지 않는 것이 속편했다.

연분홍 자운영 꽃이 산과 들을 뒤덮던 오월이었다. 아라는 쏟아지는 잠을 주체하지 못했다. 밤낮 없이 잠에 빠져들었다. 때 아닌 잠병에 걸린 것을 괴이하게 여기던 아라는 달거리가 멎은 것을 뒤늦게 알아챘다. 수태였다. 배를 안고 계백에게 다가간 아라가 눈짓으로 수태 사실을 터놓았다. 계백은 아라가 기특했다. 계백의 기뻐하는 모습에 타로 또한 행복해했다.

어느 날 아라가 타로를 불러 유모 구하는 일을 그에게 당부했다. 타로는 난감했지만 곧장 유모를 물색하러 나섰다. 계백과의 인연을 헤아리고 일부러 그에게 부탁한 아라의 청을 뿌리칠 수는 없었다.

장가를 못 간 타로의 고민은 깊었다. 유모라면 젖이 많아야 할 텐데, 아무래도 가슴이 큰 게 나을 거라 생각했다. 그런데 젖이 나오려면 젖먹이가 있는 여인이어야 했다. 저잣거리를 휘돌아보았지만 나이든 여인들과 꼬맹이 여아들뿐이었다. 평소에는 가슴 큰 여인들이 많은 것 같더니만, 막상 아니었다. 타로가 허탕을 치고 돌아와 볼멘소리를 했다. 까마귀 똥도 약에 쓰려면 오백 냥이라더니.

어느덧 여인들이 먼저 타로를 알아봤고 남자들은 타로를 향해 손가락질하며 웃었다. 타로가 저잣거리를 지나가면 여인들이 가슴을 가린 채 담박질해갔다. 타로는 고개를 들고 다닐 수가 없었다. 어떤 여인은 타로 앞에서 자랑이라도 하듯 일부러 가슴을 더 내미는 거 같았다.

타로는 에라 모르겠다는 심정으로 길가에 자리를 잡고 앉았다. 그때 한 여인이 타로에게 다가왔다. 여인의 갖신을 본 타로가 고개를 들었다. 처음 보는 얼굴이었다.

"유모를 구하러 다니시지요?"

타로가 벌떡 일어섰다. 계백을 섬기는 그는 세인들에게 감춰야할 것이 많았다. 타로는 주군의 정체가 탄로 나기라도 한 듯 얼떨떨해했다.

"맞습니다만, 어떻게?"

우물쭈물하는 타로에게 여인이 스스로를 소개했다.

"저는 고이古爾라 하옵니다. 제 젖을 먹고 자랄 아이는 어느 댁 자제분이십니까?"

타로의 시선이 고이의 가슴께서 멎었다. 타로가 머리를 긁적이자 그녀가 웃으며 말했다.

"가슴이 크다고 젖이 많은 건 아니랍니다. 제 것은 크진 않으나 마르지 않는 샘물 같답니다."

타로가 얼굴을 붉혔다. 더는 이 여인을 똑바로 쳐다보지 못했다. 타로는 고이에게 따라오라며 손짓을 하고 앞장서 걸었다. 타로는 이 여인을 아라에게 데려갔다.

"저는 고이라 하옵니다."

"귀한 이름이구나."

"저의 먼 할아비가 고이대왕님 일족의 가솔인지라 분에 넘치는 이름을 얻었사옵니다."

"알겠네. 그런데, 타로."

"예."

"그래, 달랑 유모만 구해왔는가. 결발도 안 한 사내에게, 이 일을 맡긴 연유를 짐작 못했는가. 백년낭군을 중매한 그대에게 배필을 구할 짬을 준 건데, 안 되겠네. 내가 직접 여인을 골라 그대의 방에 넣어주겠네."

아라는 타로가 짝을 찾기를 바랐다. 여인들을 자주 대하면서 맘에 드는 짝 하나는 고를 줄 알았다. 고이가 아라의 말에 대꾸했다.

"여인의 옷을 벗겨 방안으로 넣어줘야 혼례가 성사될 듯싶사옵니다. 아마도 부인께서 친히 그리 해주셔야 이 총각이 머리를 묶을 수 있을 거 같사옵니다."

"자네도 그리 생각하는가. 스님이 제 머리는 못 깎는다는 말이 맞나보네."

타로의 얼굴이 오뉴월 작약처럼 붉어졌다. 아라는 고이를 유모로 낙점했다. 그녀는 계백의 가솔이 되었다.

매섭던 바람 끝이 무뎌진다 싶더니 해가 바뀌었다. 달빛이 따뜻하게 느껴지는 이른 봄날, 아라는 온 힘을 다해 사내아이를 밀어냈다. 사내아이의 울음소리가 담장을 넘어 우렁차게 퍼져나갔다. 계백의 집은 아기의 탄생을 하례하는 행렬이 줄을 이었다. 의자왕이 몸소 계백의 사저에 거둥했다. 의자왕은 아기를 품에 안고 기뻐했다.

"아기의 이름은?"

"아직 짓지 않았사옵니다."

"문우文友나 문효文孝는 어떤가? 글과 벗하는 게 칼을 잡는 것보다는 나을 게야. 글로 우리 아우님에게 효도한다면 더욱 좋지 않겠나."

"대왕, 문우로 하겠사옵니다. 둘 다 좋은 이름이니, 둘째를 낳으면 그 아이를 문효라 하겠사옵니다."

"승아, 사석에서는 형이라 부르라 하지 않았느냐?"

"알겠습니다. 형님."

의자왕의 형제애는 남달랐는데, 그의 우애는 깊은 효심에서 비롯되었다. 무왕이 죽은 뒤, 의자왕의 동생 부여교기夫餘翹岐가 반역을 일으켰다. 반역을 진압한 의자왕은 그 괴수인 교기왕자를 살려주었다. 반역의 주모자 교기왕자는 물론 세상 사람들이 상상하지도 못한 관대한 처분이었다.

의자왕은 형제를 뿌리가 붙어있는 파로 여겼다. 하나의 파를 뽑으려다 다른 뿌리까지 상할 것을 우려했다. 의자왕은 교기왕자의 목숨만 살려준 것이 아니었다. 그는 교기왕자를 태자에 버금가는 좌현왕左賢王에 책봉하고 왜국에 가서 편히 살도록 선처해주었다. 의자왕의 파격적인 처사에 세인들은 입을 떡 벌렸다.

"대왕께서 실성을 하신 게야."

부여교기는 백의 차림으로 사흘 동안 단식을 하며 의자왕에게 하례했다. 세인들은 사흘은 너무 짧다며 부여교기의 무성의를 개탄했다. 반면 세인들은 의자왕의 큰 그릇을 일 년 넘게 칭송하고 성군이 났다며 십 년 넘게 기꺼워했다. 하지만 귀족들은 탐탁지 않게 여겼다. 의자왕의 이상 국가에서 그들이 소외된 까닭이었다.

"틀림없다니까. 미친 거라니까."

몇몇 귀족들은 의자왕에게 적대감을 가졌지만 그것으로 끝이었다. 의자왕의 효심과 우애는 보통사람들이 범접할 수 없는 성역이기 때문이었다. 그의 효심과 우애는 끝 모를 심해와도 같았다. 해동 증자, 이게 의자왕의 또 다른 이름이었다.

아라는 문우를 낳고 아버지 김알천에게 기별을 보냈다. 김알천이 득남을 축하한다며 뜰에서 찾은 황금을 보내왔다. 계백은 이를 잘 간직했다가 장인의 생신선물로 썼다. 김알천은 손자 문우의 돌잔치에 쓰라며 다시 되돌려 보냈다. 온정을 실은 황금 수레가 두 집 사이를 오고갔다. 두어 해 걸러 백제와 신라 국경에서 창칼이 오가고 화살이 날아다니는 험악한 시절이었다.

계백은 문우를 데리고 사비궁에 답례 인사를 올렸다. 의자왕의 웃음소리가 끊이지 않았다. 문우의 웃음소리에 귀를 막은 은고의 감정이 화산처럼 폭발했다. 그녀는 계백의 행복을 몽땅 빼앗겠노라 마음먹었다.

*

계백이 집을 비운 어느 날 그의 집에 자객이 잠입하였다. 계백의 집에는 우도于都, 정나말井奈末처럼 더부살이하는 사람들이 있었다. 정나말이 단칼에 자객의 목을 베었다. 문우가 잠든 방에서 벌어진 일이라 아라는 기겁했다. 자객이 죽어버려 암살 사주자를 알아내지 못했다.

출타했다가 돌아와 정황을 들은 계백은 탄식을 했다. 계백과 그의 가솔들이 머리를 맞대고 궁리했다. 오천솔의 참모 격인 천장仟將 우도가 맨 처음 입을 열었다.

"보나마나 그 간교한 여우의 짓이옵니다."

타로도 은고를 지목하고 나섰다.

"우도 아저씨 말이 맞사옵니다. 대왕께 일러바쳐야 하옵니다. 아니옵니다. 그것만으로는 분이 안 풀리옵니다. 제가 그 여우의 목을 확 비틀어버리겠사옵니다."

타로가 씩씩거렸다. 정나말이 타로를 달랬다.

"그건 안 될 말이다. 성군이신 대왕님을 봐서라도 왕자님께서 그러실 순 없다. 왕자님, 차라리 여기를 뜨시는 게 어떻겠사옵니까?"

계백은 사비성을 떠나기로 했다. 다 같이 평안할 방책은 그뿐이었다. 계백은 달솔벼슬을 내놓고 거처를 금마저로 옮겼다. 백제왕가의 성역이나 다름없는 금마저 쌍릉 근처만큼 안전한 곳은 없었다. 고인이 된 무왕과 선화공주의 그늘 아래서 계백 부부는 한동안 평온했다.

계백에게는 오천솔로 불리는 사병 오천 명이 있었다. 그의 사병은 여느 귀족의 사병과 달랐다. 오천솔은 평상시에는 각자 흩어져 생업에 종사했고 계백과는 그 인연의 끈만 유지했다. 그들은 해마다 한 차례 모여 사냥을 함께했다. 오천 명이나 되다보니 적어도 멧돼지나 사슴, 노루 기십 마리는 잡아야 했다. 먹어야 할 입과 채워야 할 배는 많았고 겨울에는 더 허기가 지기 마련이었다.

올 겨울사냥에 또 오천솔이 한데 모였다. 사냥터는 사냥꾼 출신 오천솔이 골랐다. 사냥을 알리는 연이 하늘 높이 떠올랐고 계백과 오천솔이 산을 에워쌌다. 산자락을 휘감는 징소리에 산짐승들도 산을 타기 시작했다.

"앞으로!"

목소리는 우렁찼으나 타로는 이내 헐떡거리며 뒤쳐졌다. 반나절 동안 오천솔은 산짐승들을 섬멸하다시피 했다. 여우를 끌어안고, 노루를 매고, 멧돼지를 끌고 계백과 오천솔은 산을 내려왔다. 타로의 허리에는 토끼 두 마리가 대롱대롱 매달려 있었다.

"겨우 토끼 두 마리밖에 못 잡았네."

타로의 자랑에 사냥 이야기꽃이 피기 시작했다.

"작년엔 토끼 한 마리였잖아."

계백이 놀리자 타로는 억울했다.

"그게 무슨 말씀이시옵니까요? 제 돌팔매로 호랑이보다 더 큰 멧돼지까지 잡을 뻔 했잖사옵니까요."

"네 돌에 맞기는 했든가?"

"왕자님, 실은 그처럼 큰 멧돼지는 처음 봤사옵니다요. 완전 괴물이었잖습니까. 다른 놈들 배는 됐을 것이옵니다. 아 가만, 그러고 보니 그 멧돼지가 누구랑 닮았지 않았사옵니까? 김춘추! 그 먹보 말이옵니다요."

계백과 타로, 오천솔이 모두 웃었다. 그들은 산에 웃음 메아리를 남기고 금마저 별궁에 이르렀다.

사냥 후엔 으레 널찍한 별궁에서 술판이 벌어졌다. 한겨울에 인원이 오천 명이나 되니 달리 방법이 없었다. 오천솔과의 별궁 회식은 계백이 누리는 유일한 즐거움이었다.

오천솔의 사냥은 원래 군사훈련을 겸한 것이었는데 근자에는 소일과 풍류로 그치고 있었다. 계백이 금마저로 이주한 뒤 전장으로 나가지 않았기 때문이었다. 계백이 세상일과 담을 쌓자 갑갑한 것은 백제였다. 계백은 백제의 눈과 귀였고 나침반이었다. 계백의 팔목구이八目九耳가 닫힌 백제는 국제정세에 점점 어두워져 갔다.

계백의 은둔 소식에 귀가 번쩍 뜨인 건 신라였다. 신라는 덩치와 힘에서 백제에 밀리고 있었다. 신라인들은 계백의 은둔을 하얀 까치가 떼로 날아든 것 같은 길조라 여겼다. 그것이 착각이었음을 깨우치려는 듯 백제는 신라에 대대적인 공격을 퍼부었다. 계백과 아라의 결합에 대한 은고의 화풀이였다. 계백과 아라, 타로, 그리고 선덕여왕이 기대했던 것과 달리 정반대의 양상이 벌어지고 있었다.

*

"유모, 밤늦게 어인 일입니까?"

타로를 찾아온 고이는 수줍어하지 않았다. 머뭇거리지도 않았다.

"그대의 아이를 갖고 싶습니다. 오늘 밤."

고이는 터를 잡고 살아가는 꽃처럼 제자리에서 나비를 기다리지 않았다. 고이는 나비처럼 사내를 찾아 날아들었다. 타로는 고이의 풍만한 가슴을 보고 있었다. 그녀의 가슴을 떠올리던 타로는 입을 다물 줄을 몰랐다. 문우에게 젖을 먹이는 그녀를 몇 번 곁눈질한 적이 있었다. 아직 저고리를 벗지 않은 고이가 싱긋 웃었다.

"제 청을 뿌리치지 마시어요. 아이를 낳아 유모일을 계속하고 싶을 뿐이에요. 그대와 혼인할 생각은 없습니다. 아이가 절실한 저를 그냥 도와준다 생각하시어요."

젖이 나오려면 아기를 잉태해야 했다.

"당신이 여인의 몸만을 원하는 사내가 아니란 걸 느끼고 있습니다. 그런 사내라면 그저 발정 난 수컷일 따름이지요."

"나는."

고이의 따뜻한 입술이 타로의 말을 막았다. 어머니의 가슴을 탐하는 어린아이처럼 타로는 그녀의 입술을 받았다. 소금 양치질을 오래했는지 그녀에게서 짠맛이 났다. 고이가 입술을 떼자 심장이 심하게 요동쳤다. 심장에서 뿜어낸 피가 타로의 중심으로 몰려들었다. 뱀의 근육처럼 탄력 있는 타로의 남성을 느낀 고이가 속삭였다.

"이 몸이 그대를 찾았듯 지금 그대의 몸도 나를 원합니다. 아닌가요?"

아이가 엄마젖을 찾듯 타로는 고이의 젖무덤을 탐했다. 그녀의 허리가 활처럼 휘었다. 고이가 타로를 이끌었다. 고이의 춤사위는 나비의 날갯짓처럼 가벼웠다. 여인의 춤사위는 뜨거운 듯 차가웠고 차가운 듯 뜨거웠다. 고이의 교성에 타로의 몸이 뜨겁게 달아올랐다.

"더 주세요. 사랑은 남기는 것이 아니랍니다."

은고의 말이 아니더라도 타로는 제 사랑을 심고 싶었다. 여인의 깊은 곳에 그의 뿌리를 내리고 싶었다. 상상 속에서 그를 닮은 어린 타로가 아장아장 걷고 있었다.

얼마 후 고이의 몸속에 타로가 심은 씨앗에서 잔뿌리가 돋아났다. 그리고 타로가 손꼽아 기다리던 날, 그 밤 타로는 그녀 곁을 지켰다. 고이의 산통은 길었다. 그녀는 젖 먹던 힘을 다해 아이를 세상 속으로 밀어냈다. 고이는 아기가 울지 않자 아뜩했다. 첫아기도 그렇게 태어나자마자 죽었다. 고이는 아기의 입에 숨을 불어 넣었다. 엉덩짝을 힘껏 때려도 아기는 끝내 숨을 쉬지 않았다.

핏덩이를 안고 고이는 목을 풀고 울었다. 고이의 구슬픈 울음소리에 타로는 물론 아라까지 옷소매를 적셨다. 그녀의 울음소리가 초목을 울리고 산천을 울렸는지 비가 쏟아지기 시작했다. 때 아닌 장대비였다. 비에 젖은 대지가 누런 흙탕물을 흘려보냈다. 아기를 묻고 돌아오는 타로의 슬픔도 흙탕물에 쓸려갔다.

고이를 생각해서 타로는 슬픔을 내색하지 않았지만 이 일은 어렸을 적 모친을 잃은 그의 마음에 깊은 생채기를 냈다. 더는 상처를 감당할 자신이 없었다. 하지만 오랜 눈물로 고이가 간청했다.

"이 댁의 주인께서 둘째를 가지셨습니다. 그러니……."

타로는 그녀의 청을 외면하지 못했다. 잃은 아기를 만회하려는 어미 마음을 헤아렸다. 고이는 곧 회임했다. 그리고 얼마 되지 않아 또 유산했다. 하늘은 타로와 고이, 두 사람에게 아기를 허락하지 않았다. 거푸 아기를 잃은 고이는 무정한 하늘을 탓하며 어둠속에서 흐느꼈다. 크게 울지도 못했던 그녀는 잠을 이루지 못한 채 입술을 깨물었다. 고이를 위로해야 했던 타로는 슬퍼할 새도 없었다. 의연한 척하는 타로의 마음은 찢기고 찢겨 너덜너덜해졌다. 서로의 위로도 서로의 상심을 씻겨주기에는 역부족이었다.

초가을의 해가 뒷산 산마루에 설핏하게 걸려 있던 날, 아라는 계백의 둘째 아들을 낳았다. 아기 이름은 의자왕이 지어준 문효文俲라 하였다. 의자왕이 조서까지 내리며 기뻐하였다.

'선화궁의 왕자 계백은 어려서부터 슬기롭고 성품이 충성되고 효성스러웠다. 사람은 모름지기 효를 근본으로 삼아야 한다. 이제 그 둘째아들에게 사람에 효도를 더한 글자 俲효로 이름을 지어주노라.'

계백의 둘째 문효를 고이는 한시도 손에서 놓지 않았다. 제가 잃은 아기가 다시 살아난 양 사랑을 쏟아 부었다. 유모 고이의 사랑을 먹고서 문효는 잘도 자랐다. 세월이 흘러 젖을 먹던 문효가 밥알을 입에 넣을 때가 되었다. 그때까지 아라에게 새 생명의 소식은 없었다. 타로의 아기를 원했던 고이는 상심했다. 고이가 타로에게 유모 노릇을 그만두겠다고 했다. 타로가 여러 번 설득했지만 고이는 결심을 꺾지 않았다.

"타로, 그이에게 너무 미안하옵니다. 제가 큰 죄를 짓는 것 같사옵니다."

고이는 아라에게 모든 걸 고백했다. 아라는 전장에서 죽은 남편을 잊고 새로운 사랑을 찾겠다는 고이를 붙잡지 못했다. 고이는 지금 새로운 그녀만의 길을 개척하려는 것이었다. 고이의 앞을 막을 수는 없었다. 사랑을 따라 백제까지 온 아라와 사랑을 찾아 떠나려는 고이는 닮아있었다. 아라는 고이의 여정이 길어지지 않기를 바랐다.

고이의 어머니는 왜국 토착민이었다. 그들은 혼인을 한 뒤에도 부부가 서로 떨어져 살았다. 남자가 여자 집에 찾아와 머무는 동안만 부부라 할 수 있었다. 여느 아이들처럼 고이도 어머니의 집에서 자랐다. 나비처럼 날아들어 남자를 탐하고, 그 남자를 미련 없이 떠날 수 있는 고이는 토착민의 기질을 지니고 있었다.

고이는 아라에게 하직인사를 고했다. 고이가 타로를 찾은 건 늦은 시각이었다. 고이의 사랑은 다시 장작불처럼 타올랐다. 한여름처럼 뜨거웠다. 어머니를 일찍 여읜 타로는 고이의 젖무덤에 혼곤했다. 잠든 타로를 고이가 입맞춤으로 깨웠다.

"제게 어울리는 사랑을 찾아 떠날 겁니다."

"어디로 갈 작정입니까?"

"사비성입니다. 사람 많은 고을에서 맘에 드는 사내를 만나기 쉽겠지요."

고이는 풀잎 같은 여인이었다. 작은 바람에도 이리저리 눕는 가녀린 들풀이었다. 풀잎 같은 고이의 사랑은 흔들리고 씻기면서 그렇게 스러지고 있었다. 앞으로 나아가던 고이가 두어 발짝 걷다가 멈췄다. 배웅하고 서

있는 타로에게 말했다.

"떠나가는 절 잡지 않으니 한결 마음이 편합니다. 당신과의 사랑을 후회하지 않습니다."

타로는 그제야 마음이 급했다. 달려가 고이의 손을 잡았으나 그녀는 그 손길을 뿌리쳤다.

"당신은 여인의 마음을 몰라주는 사냅니다. 하지만 상관없습니다. 제가 사랑했으니까요. 그것으로 충분합니다."

고이는 뒤돌아보지 않았고 타로는 끝내 그녀를 붙잡지 않았다. 가비류에게 품었던 열정이 너무 컸던 탓인 듯싶었다. 타로에게 사랑은 오직 가비류 뿐이었다. 그 사랑이 너무 견고해서 다른 사랑을 허락하지 않았다. 고이와의 사랑은 영원히 제자리에 머물지 않는 바람인 듯싶었다. 그물에 걸리지 않는 바닷물처럼 아무런 흔적도 남기지 않았다. 흔적이 없다는 건 상처를 새기지 않았다는 뜻이기도 했다. 서로의 가슴을 적시지 않은 사랑은 금세 매마를 것이었다. 쉽게 불타고 쉬이 꺼져버리는 그런 사랑이었다. 타로는 고이의 뒷모습을 무연하게 바라봤다. 고이가 탄 사랑의 바퀴는 깎아지른 역사의 낭떠러지를 향해 끊임없이 굴러 갔다.

제 2 장

거미는 싸우지 않고 이긴다

계백

5. 거미줄 인연

당나라의 패전 소식이 또 서라벌에 날아들었다. 물심양면 당나라 편에 섰던 신라는 경악했다. 서라벌에서는 화백회의가 거푸 소집되었다. 잦은 화백회의는 대책이 없다는 증거나 다름없었다. 새해가 다가오도록 위기를 타개할 묘책은 나오지 않았다. 날씨가 풀리면 고구려와 백제가 협공을 해 올지도 몰랐다. 신라는 고구려를 배신한 괘씸죄에 걸려있었다.

김유신이 화백회의에 참석하러 사저를 나섰다. 하늘은 잿빛이었다. 그의 애마도 제자리걸음을 놓았다. 갑자기 김유신이 고삐를 반대 방향으로 틀었다. 강수의 집을 향해 말이 내달렸다. 줄을 완전히 잘못 선 게다. 이대로 화백회의에 가봤자 해답이 나오지 않을 게 뻔했다. 그의 말을 들었어야 했는데. 김유신과 강수는 옛 가야 사람이었다. 고향마저 가까운 둘은 태생부터 인연이 깊었다.

"유신공, 오셨으면 들어오십시오."

강수는 말울음 소리가 아니라도 김유신이 올 줄 알고 있었다. 김유신은 무거운 표정으로 방 안으로 들어섰다. 강수는 김유신의 심정을 꿰고 있었다.

"당나라가 졌겠지요."

"사실 이번만큼은 자네의 예측이 틀릴 줄 알았네. 자네 말대로 고구려의 대승이야."

김유신이 한숨을 내쉬었다.

"우리 신라를 이 지경으로 만든 그놈의 대야성 사건은 생각하기도 싫네. 이제 옛 가야 사람들의 심중도 백제 쪽으로 완전히 기울었다네. 승자 편에 서고 싶은 게 사람의 본성 아닌가. 해서, 자네의 머리를 또 빌려야겠네. 어떻게 해야 이 난관을 돌파할 수 있겠는가?"

"저의 이 뿔로 다른 곳을 받으라는 말씀이시옵니까?"

"에끼, 이 사람아."

"이럴 때일수록 웃어야지요. 울고불고하면 될 일도 아니 되옵니다."

강수가 표정을 싹 바꾸었다.

"세상일은 사람에서 비롯되고 사람으로 끝나는 것이니, 그 열쇠 또한 사람이옵니다. 해동 증자라는 영예와 악처 은고가 의자왕의 족쇄이옵니다. 전쟁이냐 평화냐는 은고에게 달려있사옵니다. 백제는 은고, 고구려는 연개소문의 동생 연정토가 관문의 열쇠이옵니다."

김유신이 강수를 빤히 쳐다봤다.

"사람이 관문의 열쇠라. 그 열쇠에 기름칠 좀 해야겠군."

"실컷 먹여주십시오. 그들이 원하는 걸로."

"대부인 은고라면, 금은보화가 딱이겠군! 그런데 연정토를 속이는 건 여간 까다로운 일이 아니라네."

"바로 보셨사옵니다. 연정토는 수시로 제 형인 듯 행세하잖습니까. 연개소문이 효웅이라면 연정토는 간웅입니다. 세상 전체를 속이는 간웅에게 어설픈 속임수는 어림없사옵니다. 그의 약점인 호색을 파고들어야 하옵니다."

"한데 미인계 따위가 통하겠는가?"

강수가 야릇한 웃음을 지었다.

"이젠 그 집 개들까지 미녀를 구하러 다닌다는 말이 나돈다 하옵니다. 연정토가 귀한 손님에게 색공을 베푸는 골품 풍습을 얼마나 악용했사옵니까? 제법 예쁘다는 서라벌 여인들은 얼굴을 가리고 다닐 지경이었습니다. 심지어 알천공조차 그의 방문을 막느라 진땀을 흘리지 않았습니까? 반면에 연 씨 형제와 혈연을 맺으려고 진땀을 흘린 이도 있다 하옵니다. 항간에는 공의 누이인 보희낭자와의 염문도 떠돕니다. 보희낭자의 아들 개지문皆知文이 연정토의 아들이라는 풍문이 파다하옵니다."

강수의 입에서 연정토와 누이 이야기가 나오자 김유신은 화두를 돌렸다.

"이보게 강수, 계백왕자와 알천공 여식과의 혼인 소식은 들었는가? 백제가 잠잠해지겠는가?"

"재능이 제 아무리 출중해도 계백은 일개 왕자에 불과하옵니다. 춘추공을 보십시오. 보위에 오르지 못해 허구한 날 무위도식하는 춘추공이나 계백이나 매한가지이옵니다. 참, 춘추공은 오늘도 꿩고기를 드셨사옵니까?"

김유신이 가슴을 툭툭 쳤다. 김춘추가 매 끼니마다 꿩고기를 먹는다는 소문은 서라벌의 화젯거리였다.

"춘추공은 이제 틀렸어. 저렇듯 꿩고기에만 관심을 가져서야. 저 비대해진 몸을 버티는 말이 없다더군."

강수는 꿩고기를 탐하는 김춘추의 심중을 훤히 보았다.

"춘추공이 왕이 되려면 훼방꾼 둘만 제거하면 되옵니다."

"둘이라면, 비담공과 알천공이로군."

"춘추공이 왕이 되려면 유신공의 힘이 곁들여져야 하옵니다. 단, 힘은 갖추되 먼저 움직이면 아니 되옵니다. 먼저 움직이는 쪽이 지게 돼있으니, 상대등 비담공이 도발하도록 유도해야 하옵니다."

"어떻게 말인가?"

"춘추공이 알천공의 손을 들어주는 척하면 되옵니다. 조급해진 김비담은 무리수를 둘 것이옵니다. 그는 역적이 되고 공은 반란을 진압한 영웅이 되시는 것이옵니다. 그리되면 경쟁자 알천공이 스스로 물러날 듯도 하옵니다. 요는 비담공의 제거가 먼저라는 것이옵니다. 춘추공이 비담공과 손을 잡아도 알천공은 움직이지 않을 것이기 때문입니다."

김유신은 성가셨던 두통과 치통이 한꺼번에 가신 느낌이었다.

"하나를 얻으러 왔다가 덤까지 받아가니 염치가 없군. 강수, 세상이 자네를 몰라줄지라도 나는 자네 은공을 절대 잊지 않겠네."

"제 은공이랄 게 뭐 있겠사옵니까? 유신공과 저는 이미 망해버린 가야 사람이옵니다. 제가 세상에 나온 까닭은 제 이웃이 망국의 설움을 떨치게 하려는 것이옵니다. 신라가 망한다면 우리 가야인들은 두 번 죽는 거나 마찬가지니까요."

김유신이 고개를 끄덕였다. 신라인이 됐지만 다른 신라인들의 눈치를 봐야 했다. 망국의 통렬함은 멀리 있지 않았다. 강수는 손궤 서랍을 열어 황모 붓을 꺼냈다. '계백, 그대 때문에 이 건곤일척의 도박판에 뛰어든 것이오. 아주 흥미진진한 판을 만들어 놓을 테니 한번 놀아봅시다.' 강수는 계백이 주었던 그 붓을 노려봤다.

김유신이 김춘추의 집으로 다급하게 말을 몰았다.

*

자주 상념에 젖어들다 보니 김춘추는 과식을 일삼았다. 그 사건이 머릿속에서 지워지지 않아서였다. 그는 사위 김품석金品釋과 딸을 잃었다. 백제가 대야성을 공격하자마자 대야성 백성들이 성문을 열어젖힌 것이 분하고 억울했다.

대야성민들은 남의 아내를 빼앗는 성주 김품석을 살려두고 싶지 않아 했다. 김춘추의 딸 역시 주민들을 업신여겨 미운털이 박혀있었다. 백제 점령군이 입성하자 주민들은 성주 부부에게 자진할 것을 요구했다. 이 소문을 김춘추는 믿을 수 없었다. 딸이 그럴 리 없었다.

"내 딸이 죽다니, 대야성을 잃은 것보다 더 슬프구나. 내 살점이 떨어져 나간 거처럼 아프구나. 백제에게 신라를 잃은 것보다 더 슬프구나!"

신라의 현관문 격인 대야성을 잃었지만 김춘추는 그것은 안중에도 없었다. 김유신이 주변을 둘러보며 말했다.

"춘추공, 그 무슨 말씀입니까. 누가 들으면 어쩌려고요!"

"들으면 어떻소. 그깟 대야성이 뭐라고. 내가 누구요? 내 딸이 누구요? 공주가 되어 호의호식해도 부족할 내 딸이 비명에 갔는데!"

"춘추공, 옛 가야의 백성들이 백제 쪽에 붙었으니, 품석의 죄가 하늘에 닿습니다. 남의 아내를 탐하다 저도 죽고 성까지 잃었으니 어쩝니까. 오늘날 우리 신라가 고구려, 백제와 겨루는 힘은 옛 가야에서 나왔으니, 이대로 가면 서라벌도 안심할 수 없습니다."

김춘추는 김유신이 못마땅했다. 슬픔을 위로하지는 못할망정 가야를 추켜세우다니, 더 서러웠다.

"내가 고구려에 가겠소. 연개소문한테 군사를 얻어 이 원수를 갑절로 갚겠소. 우리 힘으로는 백제를 압도할 수 없으니 피치 못할 일 아니오? 당나라에도 사신을 보냅시다. 당나라에 보낼 사신을 물색해보시오. 연정토에게도 서찰을 보내시오. 참, 연개소문에게 빈손으로 갈 수 없으니 마땅한 선물이 없겠소?"

"화백회의에 먼저 다녀오겠습니다."

화백회의 이야기가 나오자 김춘추가 움찔했다. 그의 할아버지를 왕위에서 쫓아낸 것이 화백회의였다. 그래서 김춘추는 화백회의에 참석할 자격이 없었다.

상대등 김비담이 화백회의의 무거운 침묵을 깼다.

"이럴 수는 없소! 이제 우리 신라는 망했소. 당나라가 허구한 날 고구려에 지다니, 이게 다 여왕 때문이오."

김알천이 눈을 부릅떴다. 탄식만 하고 있을 때가 아니었다. 당나라에 줄은 섰다지만, 하늘이 무너진 듯하는 화백회의가 못나 보였다. 상대등 김비담은 더 못나보였다. 김알천이 호랑이를 때려잡은 주먹을 불끈 쥐었다.

"여왕님께 책임 전가하지 말고, 상대등의 책임을 회피하지 마시오. 그리고 망했다니, 그게 무슨 망발이오! 그 주먹들을 어디다 쓰려고 아끼는 게요?"

김알천이 두툼한 손으로 탁자를 세게 내리쳤다. 다소 위협적인 모습에도 김비담은 물러서지 않았다. 여기서 밀리면 김알천에게 상대등 자리를 내놓아야 했다.

"애들 주먹싸움이 아니질 않소. 그대의 맨주먹만으로 어찌 저들을 막아낼 수 있다는 말이오. 백제도 막기 버거운 판에, 고구려와 손을 잡고 서라벌을 공격한다면 한 달도 버티지 못할 게요."

김알천과 김비담의 언쟁에 침묵하던 김유신이 입을 열었다.

"제가 한 말씀 올리지요. 거미는 싸우지 않고 상대를 제압합니다."

김비담이 아니꼬운 시선으로 김유신을 쳐다봤다. 젊은 날 김유신의 마음은 뜨내기 같았다. 서른이 넘도록 전쟁터 한 번 나가지 않고 풍류만 즐겼다. 신성성과 더불어 순결을 지켜야 하는 천관녀天官女와도 놀아났다. 추문으로 서라벌이 들끓었지만 죄를 추궁당한 적이 없었다. 마흔이 넘어가도록 또렷한 전공 하나 없어도 벼슬은 자꾸 높아졌다. 김비담이 말했다.

"백제와 고구려가 거미줄에 걸릴 파리, 모기 따위인 줄 아시오. 도토리 같았던 가야의 열 두 나라라면 몰라도."

김비담은 가야인 주제에 누이의 몸값으로 진짜 진골인 양 행세하는 가야 출신 김유신을 비꼬았다. 마음을 진정시키고 김유신이 말했다.

"백제와 고구려를 당분간만 파리 모기로 만들자는 말입니다. 승자라 하나 고구려도 힘이 빠졌을 테니 내년에는 백제만 막으면 되지 않겠습니까? 고구려에 승전 축하 사절단을 보내고, 당나라에 사신을 보내 또 군사를 일으키도록 부추겨야지요. 고구려와 당나라가 또 맞붙게 해야 합니다. 백제는 제가 책임지겠습니다."

김비담이 한마디 했다.

"말은 그럴듯한데 그대 혼자 백제를 당해낼 수 있겠소?"

"상대등께 더 나은 계책이 있다면 그걸 따르겠소."

두 사람이 서로 시선을 마주치는 사이 김알천이 나섰다.

"간만에 대책다운 대책이 하나 나온 거 같소. 상대등, 거미의 전략을 시도라도 한 번 해봅시다. 유신공, 당나라에 갈 사신으로는 누가 적합하겠소?"

"춘추공입니다."

김유신이 김춘추의 사저를 다시 찾았다. 마침 그는 식사를 하고 있었다. 그는 해마다 옷 치수를 늘여야 할 만큼 온몸에 살이 붙고 있었다. 유난히 하얀 피부 탓에 더 비대해 보였다.

'저 사나운 식탐을 어찌할 것인가. 한 끼에 쌀 두 말, 술 두 말, 장끼 세 마리를 먹다니, 쓴소리를 해서라도 말려야지 안 되겠군.'

김유신이 김춘추에게 다가갔다. 김춘추는 시종이 발라준 꿩고기를 입 안 가득 넣고 있었다. 손위 처남을 보고도 김춘추는 인사말을 꺼내지 못했 다. 비대한 몸을 겨우 일으킬 뿐이었다. 김유신은 김춘추가 여전히 왕위에 오를 날을 꿈꾸고 있다는 강수의 말이 믿기지 않았다.

"춘추공 수하들의 무술실력이 많이 늘었겠습니다. 아니 숫제 날아다녀 야겠습니다. 그 많은 꿩고기를 춘추공에게 제공하려면."

김춘추가 멋쩍게 웃었다.

"제법 날쌔졌더이다. 가만, 이건 웃자는 게 아니라 나를 힐책하는 거잖 소. 아니 그럼, 왕족 중의 왕족인 내가 뭣으로 배를 채워야겠소? 난 굶으 면 굶었지 누린내 나는 돼지고긴 쳐다보고 싶지도 않소. 말고기나 소고기 라면 또 모를까."

김춘추가 침을 꿀꺽 삼켰다.

"거기 누구 없느냐? 암소 한 마리 때려잡아 대령하라!"

"춘추공!"

"처남, 그러지 말고 꿩고기 한 점 하시오. 같이 먹어야 더 맛난 법이 오."

김유신이 고기 한 점을 집으며 김춘추의 비위를 맞춰줬다.

"꿩고기만을 드시는 그 애타는 속마음을 왜 모르겠소이까."

"뭘 아신다는 게요?"

김유신이 시종을 물리치고, 손으로 王 모양을 허공에 그렸다. 움찔했던 김춘추의 얼굴에 화색이 돌았다.

"나는 처남만 믿소."

김춘추가 김유신의 손을 그러쥐었다.

"그나저나 화백회의에서 뾰족한 수가 나왔소?"

화백회의에 참석할 자격이 없는 김춘추에게 김유신이 화백회의 내용을 전달했다.

"그 듬직한 어깨에 나라의 운명이 달려있습니다. 반월성의 주인이 된다한들 나라가 망하면 무슨 의미가 있겠습니까? 해서 직접 해외에 가셔야겠습니다."

김춘추가 고개를 저었다.

"그건 맞는 말이지만, 어딜 또 가라는 말이오? 어느 놈이 나더러 그 먼 길을 자꾸 가라는 게요? 내 그 놈을 당장!"

"접니다. 제가 그랬습니다."

"아니, 왜요?"

"외교는 춘추공이 독보적이지 않습니까. 우람한 풍채로 보나 화술로 보나 대적할 자가 없습니다. 고구려왕한테 눈도장 찍어서 나쁠 건 없지요."

"어쩌겠소. 처남 말마따나 우리나라에 이렇듯 쓸 만한 인재가 없으니, 내 다녀올 테니 튼튼한 말이나 한 필 구해주시오. 요즘 말들은 어찌나 부실한지, 말발굽이 닳기도 전에 픽픽 쓰러집디다. 꼴을 적게 먹어 그리 힘이 없는 겐지, 사람이나 짐승이나 모름지기 잘 먹어야 힘을 쓰는 게요."

김유신이 자리에서 일어났다. 김춘추가 김유신 뒤통수에다 대고 소리쳤다.

"아니, 왜 대답도 없이 가는 게요? 나더러 그 먼 길을 걸어서 가라는 게요. 뭐요!"

6. 삼개년 대작전

비단을 실은 수레를 앞세우고 김춘추가 고구려로 향했다. 평양성에 당
도한 김춘추는 눈을 어디다 둘지 몰랐다. 빼어난 경치에 벌어진 입이 다물
어지지 않았다. 패수와 사수의 물줄기가 한 몸으로 에움길처럼 평양성을
껴안았다. 강물의 거위와 오리처럼 장안성이 떠 있었다. 강가에 펼쳐진 벌
판 너머로 산들이 어깨동무하듯 포개고 포개져 크고 작은 동산을 이루었
다. 나룻배와 쪽배가 철새 떼처럼 몸을 맞대고 포구에 정박해 있었다. 잔
물결이 닻을 내린 함선을 희롱하는 듯했다. 기암괴석 위로 솟아있는 누각
은 미끄러져 내릴 듯 아슬아슬했다. 벼랑 아래 출렁이고 있는 강물이 유
리알처럼 그 풍광들을 비추었다. 모란꽃 금수산 마루에 누워있는 을밀대
와 부벽루는 신선과 선녀 같았다. 청룡이 놀다가고 봉황이 잠시 쉬어 간
다는 말은 과장이 아니었다. 암벽 사이에 선 누각은 고단한 길손에게 품
을 내어줄 듯 넉넉했다.

고구려 장안성에 입성하는 내내 김춘추는 입술을 깨물었다. 널따란 강

물 위로 정교하게 짜여진 나무다리가 장안성까지 이어져 있었다. 장안성을 오가는 다리 위로 우마차와 수레 행렬이 끊이지 않고 백성들의 걸음걸이가 활기찼다. 저잣거리 장사치도 고구려 백성이라는 자부심이 넘쳐흘렀다. 이것이 바로 고구려의 힘이었다. 고구려의 힘은 맥궁이나 개마기병에서 나오는 것이 아니었다.

김춘추에게 새로이 단장한 장안성은 놀라움의 연속이었다. 기와집들로 형성된 마을은 고구려의 기풍을 닮은 듯 크고 강강했다. 집집마다 경계를 지은 담장은 연화무늬 기와와 소용돌이 문양 기와로 치장했다. 도깨비 모양 귀면와로 솟은 처마가 기와집의 멋을 더했다. 장안성은 신라 반월성의 다섯 배쯤 되는 것 같았다. 이곳 안학궁이 거인이라면 서라벌 월지궁은 소년도 못 되는 일곱 살 박이 어린애였다.

고구려 태왕이 거처하고 있는 내성까지는 오르막길이었다. 김춘추는 흐르는 땀을 닦는 것도 잊었다. 먼저 동명성왕의 신위를 모신 구제궁九梯宮에 참배했다. 김춘추는 고구려의 신모 유화부인의 석상을 모셔놓은 동신성모지당東神聖母之堂에도 참배했다. 연개소문을 만나기도 전에 김춘추는 진이 빠졌다. 배가 고팠지만 식욕이 일지 않았다. 대막리지 연개소문을 만나러 가는 김춘추의 발걸음은 무거워졌다.

연개소문은 김춘추가 선물을 가득 실은 수레를 가져온 것을 알고 있었다. 그는 이미 김춘추의 방문목적도 파악하고 있었다. 그는 며칠 전에 계백에게서 대야성전투에 대해 들었다. 계백이 금마저에 은둔하기 전, 백제 사신 자격으로 평양성을 방문했을 때였다. 지난날 계백이 연개소문에게 말했다.

"고구려와 백제는 두부와 콩나물 같은 관계가 아니옵니까? 부여라는 한 콩나무에서 나왔으니 신라와는 처지가 다르지요."

연개소문은 백제와 동맹을 약조했다. 백제가 당나라와 손을 잡는 것은 차단할 필요가 있었다. 대야성과 마흔 개의 성을 상실한 신라보다는 백제가 동맹국으로서의 가치가 높았다. 하지만 연개소문은 백제 모르게 신라에게도 기회를 줄 생각이었다.

연개소문은 사저로 김춘추를 초대했다. 연장자인 김춘추의 식성을 배려해 갖은 꿩 요리를 푸짐하게 차려 놓고 술도 항아리 째 가져다 놓았다. 신라에게 기회를 주는 동시에 김춘추가 먹는 모습도 구경하고 싶었다. 불구경이나 싸움구경보다 훨씬 재미있는 구경거리일 게 틀림없었다.

'어디, 얼마나 먹는지 보자. 사람이라면 그 소문만큼 먹을 순 없다. 돼지도 절대 그만큼은 못 먹는다.'

김춘추가 연개소문의 사저로 들어섰다. 뜰에 우뚝 버티고 서 있는 석조등에는 이미 불이 밝혀져 있었다. 좌측에 행랑채, 우측에 마구간과 외양간이 따로 마련되어 있었다. 중앙의 안채로 향하는 길은 디딤돌을 깔아놓았다. 한 치의 틀어짐도 없는 집주인 연개소문의 기강이 엿보였다.

연개소문이 가끔 술을 권하며 대화 분위기를 주도했다. 두 식경까지만 해도 잘 먹는다, 김춘추의 소문이 뜬소문만은 아니었구나, 먹성 좋다, 이 정도였다.

어느새 김춘추는 발라낸 꿩 뼈로 작은 해골탑을 만들었다. 다섯 식경 째

먹고 마시자 만두가 동나고 꿩고기 산적이 바닥을 보였다. 뼈를 우려낸 육수에 꿩고기를 얹은 온반과 온면이 후식으로 나왔다. 온면 한 그릇 맛보고 온반 한 그릇 비우고, 온면 한 그릇 먹어치우고 온반 한 그릇 더 시켰다. 트림 한 번 하고 후식 두 그릇을 추가했다. 요리를 장만하고 나르는 시녀들은 더 이상 놀라워하지 않았다. 빈 그릇이 구층탑을 쌓았는데 김춘추는 밤새도록 먹을 기세였다.

"하늘에서 바람을 타고 노니는 꿩이라 그런지 뜨끈한 육수가 오히려 시원합니다. 온면과 온반에도 그윽한 풍미가 가득합니다."

만찬 내내 김춘추는 꿩 얘기만 했고 연개소문도 별로 말이 없었다. 연개소문은 입맛이 뚝 떨어졌다. 김춘추가 고개를 들어 그를 보았다.

"대막리지, 어째 드시는 게 시원치 않습니다. 대장부가 먹는 게 그리 부실하면 못씁니다. 밤에 힘도 못 써요. 자, 내 술 한 잔 받으세요."

술 한 잔 받고 연개소문이 김춘추에게 제안 하나를 던졌다.

"조령과 죽령 북쪽은 본디 우리 땅입니다. 만일 죽령 이북의 땅을 돌려주면 원병을 보내주겠소. 대야성 일대가 그 정도 값어치는 될 거라 보는데, 그대 생각은 어떻소이까?"

백제에게 빼앗긴 땅과 고구려의 옛 땅과 교환하자는 말이었다. 연개소문은 신라에게 운신의 여지는 준 셈이었다. 김춘추가 말했다.

"저희 임금께서는 대국 고구려의 군사를 얻어 백제에게 당한 치욕을 씻고자 저를 보내셨습니다. 대막리지께서는 어찌 신라와 친하게 지내려 하지 않고 저희의 어려움을 틈타 옛 국토의 반환을 요구하십니까. 이는 지난날 광개토태왕께서 저희 신라에게 베푸신 선덕과는 너무 다릅니다. 그리고 저는 신하로서 신라왕의 토지를 함부로 할 수 없습니다. 죽을지언정 대막리지의 말에 따를 수 없습니다."

연개소문이 발끈했다.

"태왕님의 은혜를 잊어버린 쪽은 신라요. 백제와 함께 우리 한수漢水를 공략하더니 동맹국 백제를 배신하고 그 노른자 땅을 차지하지 않았소? 그런 얌체 같은 신라와 동맹을 맺으려면 뭔가 보장이 있어야 하오. 그대 나라의 의중은 충분히 알았으니, 일단 기다리시오. 좀 더 고민해보겠소."

연개소문은 김춘추를 객관에 가두고 출국을 금했다. 그가 김춘추의 발을 묶은 건 백제를 겨냥한 것이었다. 연개소문은 신라가 고구려에 군사를 요청했다는 이야기를 계백에게 흘렸다. 고구려가 백제가 아닌 신라와 동맹을 맺을 수도 있다는 압박이었다. 백제에게 딴마음 먹지 말라는 경고이기도 했다.

타로가 김춘추의 억류 소식을 계백한테 알렸다.

"신라에서 온 사신이 춘추공이라는데 어찌하실 생각이옵니까?"

"그 욕망의 끝은 틀림없이 비참할 것이다. 하지만 지금은 그 때가 아니다."

타로는 계백에게 더 이상 캐묻지 않았다. 그의 주군 계백이 아니라면 아닌 것이었다.

계백은 연개소문에게 다시 면담을 요청했다. 계백은 연개소문이 신라보다 백제가 고구려에게 가치 있어 한다는 걸 눈치 챘다. 계백은 연개소문한테 백제와의 동맹을 확실히 해달라고 요구했다. 연개소문은 호방하게 응했다. 백제가 공격당하면 고구려가, 고구려가 공격당하면 백제가 군사를 파견해 돕는다는 군사협력을 추가했다. 하지만, 연개소문은 계백은 믿었어도 백제는 믿지 않았다. 백제가 예전처럼 양단책으로 고구려와 당나라를 모두 돕는 고도의 기만술책을 쓸지도 몰랐다.

연개소문은 김춘추를 쉽게 풀어주지 않았다.

"이 몸을 객사에 가두는 건 좋지만 꿩고기는 먹여줘야 할 것 아닌가! 고구려 여인도 두엇쯤 넣어주고!"

객관에 갇힌 김춘추는 애써 태연한 척했다. 연개소문은 김춘추의 청을 들어주었으나 풀어주지는 않았다. 이에 김유신은 누이 김보희를 통해서 연정토를 움직였다. 연정토가 말을 달려 연개소문에게 갔다.

"형님, 그깟 신라 사신을 가둬서 어쩌시려고요. 저 시건방진 당나라의 사신을 억류하는 건 몰라도 우리 대고구려의 권위가 있지 않사옵니까. 제가 남쪽의 백제, 신라, 왜를 관할하고 형님은 서쪽의 돌궐과 당나라를 맡기로 하지 않으셨습니까. 남쪽 나라들까지 형님이 챙기면 제가 너무 심심하지 않겠습니까."

연개소문이 나직이 한숨을 내쉬었다.

"김춘추는 신라 사신이지만 당나라와도 연결돼 있기에 나선 것이다. 근데, 그는 지금 복수에 눈이 멀었다. 이웃나라까지 와서 군사를 빌리는 이유가 제 딸의 원한을 갚으려는 것이란다. 그런 자가 왕이 되려한다니, 도가 지나치구나. 아무튼 김춘추는 내 경고를 무시하고 당나라에 군대를 청하러 갈 것이다. 실상 그가 가든 말든 어차피 이세민과의 싸움은 피할 길이 없다. 이세민은 고구려, 백제, 신라, 삼국 전부를 원하니까 말이다."

다음날 김춘추는 풀려났지만 고구려와의 동맹은 맺지 못했다. 김춘추는 내미홀성으로 되돌아가는 연정토를 따라 남쪽으로 내려갔다. 헤어지기 전 김춘추가 미래를 약속했다.

"이 신세는 꼭 갚겠소."

김춘추는 진지했지만 연정토는 김춘추의 말을 허풍으로 흘러 넘겼다. 단지 김춘추가 운이 좋은 사람이라 생각했을 뿐이다.

꿩의바람꽃이 필 무렵 김춘추는 살아서 서라벌 땅을 밟았다. 김춘추는 빈손으로 돌아왔지만 딸의 원한을 갚겠다는 마음을 접지 않았다. 북쪽이 아니라면 남쪽이 있었다. 여독이 풀리기도 전에 김춘추는 중립국인 듯싶은 왜국을 방문했다. 먼 옛날 왜국을 찾았던 신라 왕자 천일창天日槍을 내세우며 오랜 인연을 강조했다. 왜국은 청병하러 온 김춘추를 거들떠보지도 않았다. 지난날과 달리 왜국은 아예 백제의 작은집 격이었다. 왜국과도 적대관계라는 사실만을 직접 확인하고 김춘추는 서라벌로 돌아왔다.

*

사방이 온통 적으로 둘러싸인 신라의 탈출구는 오롯이 바다 건너 당나라뿐이었다. 강수가 부지런히 물밑작업을 했다. 비가 오락가락 내리는 날 강수가 김유신을 찾았다.

"제가 당나라에 바칠 시를 한 수 지었사옵니다."

김유신은 치당태평송致唐太平頌을 읽어내려 갔다. 강수는 무덤덤하게 그의 평가를 기다렸다. 김유신은 얼굴이 화끈거렸다. 신라가 그 옛날 사마천처럼 궁형의 치욕을 당한 듯 내용이 처절했다. 김유신이 강수를 위로했다.

"이 사람아. 수고했네. 국운이 걸린 일이니 어쩔 수 없지 않은가? 이 글로 당나라 황제의 마음을 움직인다면, 백 만의 사람들, 삼십만 군사를 움직이는 게 되네. 얼마나 대단한 일인가. 자네가 아니면 누가 하겠는가. 부끄럽고 치욕적이었을 텐데 잘 참았네."

"부끄럽다니요. 이 손과 이 머리가 부끄러웠으면, 제 손을 자르고, 이 소대가리를 깨부쉈겠지요. 대업이 성사되면 보람된 일이 될 것이옵니다. 나름대로 재미도 있었사옵니다."

김유신이 호탕하게 웃었다.

"그게 재밌었다니 자네가 진정한 장부일세. 오늘 나와 같이 갈 데가 있네."

김유신은 강수를 데리고 김춘추를 찾아갔다. 김춘추에게 강수를 소개하려 했지만 그는 당나라에 갈 채비를 한다며 부산을 떨었다.

"씨도 못 뿌린다니, 그자는 환관이나 다름없지 않소?"

김춘추는 강수와의 동석을 모욕으로 여겼다. 김유신은 김춘추를 구슬렸지만 막무가내였다. 마침내 김유신은 어깃장을 놓았다.

"공이 강수를 만나지 않는 것은 나 김유신을 팽개치는 것이고 가야를 내버리는 것이오. 우리 가야는 내일부터 신라가 아닌 백제를 편들겠소. 가야를 멸망시킨 것은 백제가 아니라 그대의 나라 신라요. 가야의 원수는 바로 신라란 말이오!"

내심 김유신에 대한 불신이 스멀스멀 올라왔으나 김춘추는 한발 물러섰다. 당장은 김유신의 도움이 필요하니 어쩔 수 없었다.

"알았으니 그만하시오. 내가 직접 만나서 판단할 테니, 나중에 두말하기 없기요."

문을 열고 강수가 들어왔다. 강수는 먼저 김춘추가 왕이 될 수 있는 방안을 제시했다. 처음엔 시큰둥하게 듣고 있던 김춘추의 눈이 빛났다. 강수는 삼개년 대작전의 밑그림을 내놓고, 외교에 대한 조언도 아끼지 않았다. 김춘추의 표정이 환해졌다.

"이 사람, 강수. 어디 있다 이제야 나타난 것인가. 매일매일 우리 집에 오게나. 아니, 아예 우리 집에 눌러앉게나. 큼직한 방을, 아니 내 안방을 내주겠네."

강수의 전략대로라면 더 아쉬운 쪽은 당나라였다. 김춘추는 신라가 절대로 놓을 수 없는 외줄인 당나라군을 데려올 확신이 섰다. 강수가 말했다.

"우리에게 주어진 마지막 기회이옵니다."

강수의 꾀로 무장한 김춘추는 이세민이 더 이상 두렵지 않았다. 그 희망의 끈을 붙잡을 자신감이 생겼다. 김춘추가 어기적대며 말에 올랐다. 허청거리는 신라의 운명을 짊어지고 그는 만 리 길 대장정에 올랐다. 치당태평송을 소지하고.

"제가 당나라에 바칠 시를 한 수 지었사옵니다."

김유신은 치당태평송致唐太平頌을 읽어내려 갔다. 강수는 무덤덤하게 그의 평가를 기다렸다. 김유신은 얼굴이 화끈거렸다. 신라가 그 옛날 사마천처럼 궁형의 치욕을 당한 듯 내용이 처절했다. 김유신이 강수를 위로했다.

"이 사람아. 수고했네. 국운이 걸린 일이니 어쩔 수 없지 않은가? 이글로 당나라 황제의 마음을 움직인다면, 백 만의 사람들, 삼십만 군사를 움직이는 게 되네. 얼마나 대단한 일인가. 자네가 아니면 누가 하겠는가. 부끄럽고 치욕적이었을 텐데 잘 참았네."

"부끄럽다니요. 이 손과 이 머리가 부끄러웠으면, 제 손을 자르고, 이소 대가리를 깨부쉈겠지요. 대업이 성사되면 보람된 일이 될 것이옵니다. 나름대로 재미도 있었사옵니다."

김유신이 호탕하게 웃었다.

"그게 재밌었다니 자네가 진정한 장부일세. 오늘 나와 같이 갈 데가 있네."

김유신은 강수를 데리고 김춘추를 찾아갔다. 김춘추에게 강수를 소개하려 했지만 그는 당나라에 갈 채비를 한다며 부산을 떨었다.

"씨도 못 뿌린다니, 그자는 환관이나 다름없지 않소?"

김춘추는 강수와의 동석을 모욕으로 여겼다. 김유신은 김춘추를 구슬렸지만 막무가내였다. 마침내 김유신은 어깃장을 놓았다.

"공이 강수를 만나지 않는 것은 나 김유신을 팽개치는 것이고 가야를 내버리는 것이오. 우리 가야는 내일부터 신라가 아닌 백제를 편들겠소. 가야를 멸망시킨 것은 백제가 아니라 그대의 나라 신라요. 가야의 원수는 바로 신라란 말이오!"

내심 김유신에 대한 불신이 스멀스멀 올라왔으나 김춘추는 한발 물러섰다. 당장은 김유신의 도움이 필요하니 어쩔 수 없었다.

"알았으니 그만하시오. 내가 직접 만나서 판단할 테니, 나중에 두말하기 없기요."

문을 열고 강수가 들어왔다. 강수는 먼저 김춘추가 왕이 될 수 있는 방안을 제시했다. 처음엔 시큰둥하게 듣고 있던 김춘추의 눈이 빛났다. 강수는 삼개년 대작전의 밑그림을 내놓고, 외교에 대한 조언도 아끼지 않았다. 김춘추의 표정이 환해졌다.

"이 사람, 강수. 어디 있다 이제야 나타난 것인가. 매일매일 우리 집에 오게나. 아니, 아예 우리 집에 눌러앉게나. 큼직한 방을, 아니 내 안방을 내주겠네."

강수의 전략대로라면 더 아쉬운 쪽은 당나라였다. 김춘추는 신라가 절대로 놓을 수 없는 외줄인 당나라군을 데려올 확신이 섰다. 강수가 말했다.

"우리에게 주어진 마지막 기회이옵니다."

강수의 꾀로 무장한 김춘추는 이세민이 더 이상 두렵지 않았다. 그 희망의 끈을 붙잡을 자신감이 생겼다. 김춘추가 어기적대며 말에 올랐다. 허청거리는 신라의 운명을 짊어지고 그는 만 리 길 대장정에 올랐다. 치당태평송을 소지하고.

대명궁 앞에 하마비가 오도카니 서 있었다. 여기서부터는 걸어가야

했다. 황제가 아닌 이상 말을 타고 갈 수 없었다. 김춘추는 낙마하는 불상사를 피하려 말에서 조심조심 내렸다. 장안성 성문 안으로 들어서자 주작대로가 곧게 뻗어 있었다. 마차 열 대가 지나다닐 만큼 넓었다. 고구려가 평양성 외곽 강 위에 건설한 교각만큼이나 경이로웠다. 두 나라의 차이라면 고구려 장안성은 물의 도성이고 당나라 장안성은 뭍의 도읍이라는 점이었다. 김춘추는 주눅이 들었다. 멀찌감치 떨어져 바라본 태극궁과 대명궁은 고구려의 안학궁과 맞먹었다. 조국 서라벌이 한없이 초라하게 느껴졌다.

김춘추의 주눅 든 몸이 경직되어 갔다. 궁 앞의 용지龍池라는 연못가에서 잠시 숨을 골랐다. 연못을 바라보고 있노라니 물속에서 황룡 당태종이 튀어나올 것만 같았다. 김춘추는 입술을 깨물며 무거운 걸음을 애써 씩씩하게 옮겼다.

당태종이 보고를 올린 내관에게 되물었다.

"신라에서 사신이 왔다고?"

신라는 백제에게도 전전긍긍하는 약소국이었다. 고구려와 결전을 벌이려는 당나라에 도움이 될 것 같지 않았다. 하지만 지푸라기도 써먹을 데가 있는 법이었다. 당태종은 신라 사신을 후하게 대접하라 지시했다. 장손무기, 방현령 등 당나라의 고관들이 참석한 성대한 연회가 열렸다. 정작 황제는 나타나지 않았다. 황제의 용안을 고대했던 김춘추는 애가 탔다. 산해진미도 맛이 없었고 당나라의 기름진 음식도 목구멍에서 걸렸다.

황제가 납신다는 내관의 목소리가 태극궁 안에 울려 퍼졌다. 그러고도 한참 뒤 김춘추는 당태종의 용포자락을 보았다. 당태종은 황제의 위엄을 갖추려 느릿느릿 걷고 있었다. 김춘추는 훗날 왕이 되었을 때를 대비해 황제의 품위를 눈여겨봤다. 당태종이 자리에 앉는데, 뭔가 부자연스러웠다. 느릿한 그의 행동은 위엄을 갖추려는 것이 아니었다. 안시성에서 당한 곤욕으로 몸이 망가져 거동이 불편했던 것이다.

김춘추가 머리를 조아리고 있는데 느닷없이 웃음소리가 들렸다. 당태종의 웃음소리였다. 김춘추는 영문을 몰랐다. 하지만 당태종이 웃었으니 나쁜 시작은 아니라고 생각했다. 당태종은 세 가지 방책으로 신라의 속셈을 떠보았다.

"신라 사신은 들어라! 짐이 다시 고구려 원정에 나선다면 신라는 일년 동안은 적의 공격을 늦출 수 있다. 우리가 고구려 공략을 멈추면 도리어 신라가 총공격을 당할 것이다. 너희 나라엔 미안한 일이지만 이것이 첫째 방책이다.

짐이 너에게 수천의 당나라 군복과 깃발을 줄 수도 있다. 고구려와 백제 군사들이 그 옷과 기를 보면, 너희 군사를 당나라 군사로 여겨 달아날 것이다. 이것이 둘째 방책이다.

신라는 여자를 국왕으로 삼아 주변국이 업신여긴다. 이는 나라에 주인이 없으니 그냥 들어와 살라는 격이다. 딱하지만 현실이 그렇다. 짐이 친척을 보내 너희들의 임금을 삼으면 어떻겠느냐? 혼자서는 임금노릇 못 하니 군사를 대동케 해 그를 보호하려 한다. 네 나라가 안전해지면 그때 가서 너희들이 나라를 지켜라. 이것이 셋째 방책이다. 신라 사신은 잘 생각하고 하나를 선택하라!"

이세민의 방책은 강수가 예상했던 내용이 더러 포함되어 있었다. 김춘추는 느긋이 대답했다.

"신의 어리석은 생각으로는 황상의 세 가지 방책 중 버릴 것은 하나도 없사옵니다. 첫째, 황상의 천군이 해마다 고구려를 공격하면 백성들이 제대로 농사를 짓지 못 하옵니다. 그리되면 고구려의 힘이 저절로 약해질 것이옵니다.

둘째, 저희 신라의 의관을 버리고 이제 당나라의 옷을 입겠사옵니다. 대당의 조복을 입는 광영을 내려주소서. 제 아들을 황상의 숙위로 삼아주시고, 저희 불쌍한 여왕을 가련히 여기시어 대당의 제후 왕으로 봉해주시옵소서.

셋째, 대당의 제후 왕과 군사를 바다 건너로 보내주소서. 다만, 신라가 아니라 백제로 보내주시옵소서. 저희 신라 땅은 작고 보잘것없사온데, 백제 땅은 기름지고 쓸 만하니 당나라의 제후국이 되기에 적합하옵니다. 우리 신라를 지키는 군대가 아닌 백제를 멸할 대군을 파병해주시옵소서."

당태종이 호탕하게 웃었다.

"그대의 말을 따르는 것도 나쁘진 않을 것 같구나."

분위기가 무르익은 듯싶었다. 김춘추는 당태종에게 금실로 수놓은 비단을 바쳤다.

"몸소 시도 지으신다고 들었사옵니다. 황상께 바치는 치당태평송이옵니다. 저희 여왕이 지은 것으로 수도 직접 놓았사옵니다."

김춘추는 여왕이 시를 지었다고 거짓말을 했다. 당태종이 비단을 바라보며 감탄하자 김춘추가 말했다.

"황상께서 총애하시는 서성 왕희지의 필체로 수를 놓았사옵니다."

당태종은 신라의 아부가 싫지 않았다. 당나라의 권위를 인정하려 들지 않는 고구려와는 딴판이었다. 당태종은 호기를 부렸다.

"참으로 정교하구나! 수가 이토록 고우니 여왕의 손도 무척 곱겠구나. 여인의 손에는 칼보다는 부드러운 비단이 잘 어울리지 않은가?"

김춘추의 뱃살이 주눅 든 듯 오그라들었다.

"황공하오나 저희 여왕은 이미 늙어 황상을 모시기는 어렵사옵니다. 다음에는 신라에서 제일가는 미녀들을 분부하시는 만큼 데려오겠사옵니다."

이세민이 고개를 저었다.

"내게도 땅과 미인은 얼마든지 있다. 신라의 비좁은 땅과 늙은 여왕은 내가 원하는 게 아니니 그대는 심려치 말라."

다음날 김춘추는 당태종의 아들 이태李泰를 만났다. 김춘추는 당태종이 그를 보자마자 웃은 이유를 그제야 알아챘다. 이태를 보고 있자니 김춘추도 절로 웃음이 나왔다. 이태는 계단을 오르지 못할 정도로 뚱뚱했는데 그 몸집이 김춘추와 비등비등하였다.

그날 저녁 김춘추는 당태종을 다시 만났다. 김춘추는 소국 고구려와 연개소문을 따르는 무리들은 소인배고, 대국 당나라를 따르며 몸집이 큰 그가 진짜 대인大人이라 말했다. 당태종이 폭소를 터뜨렸다. 당태종이 좋은 말동무가 될 성싶은 김춘추에게 장안성에 머물 것을 권유했다. 김춘추는 선덕여왕의 치세가 곧 마감될 것임을 잘 알고 있기에 정중히 사양했다.

　당태종은 김춘추를 각별히 우대했다. 튼튼한 수레와 말, 질 좋은 약재를 하사했다. 약재는 율무, 무씨, 도라지, 칡 등으로 김춘추의 비만을 배려한 것들이었다.

　김춘추가 장안성을 떠나는 날이었다. 당태종은 김춘추한테 출병을 굳게 약조했다. 만족하며 돌아서는 김춘추를 바라보던 당태종은 눈을 가늘게 치떴다.

　'너의 세 치 혀 때문이 아니다. 신라 여왕의 치당태평송 때문도 아니다. 신라의 유치한 장난에 놀아날 내가 아니다. 신라, 백제 따위는 안중에도 없다. 내 목표는 오로지 고구려다.'

　당태종은 오롯이 안시성 성주와 연개소문에게 보복할 궁리만 했다.

　신라로 귀국하는 길에 김춘추가 탄 배가 서해에서 고구려 군선에 검문을 당했다. 김춘추는 가슴이 조마조마했다. 온군해溫君解가 김춘추의 관복을 벗겨 그 옷으로 갈아입었다. 김춘추에게는 당나라 옷을 입혔다. 온군해가 고구려군에 끌려가고 김춘추는 무탈했다.

　신라에서 당나라로 향하는 바닷길은 연정토의 위수 구역이었다. 연정토는 군사들에게 신라의 배를 고구려로 끌고 오지 말라고 명했다. 김유신의 청탁을 받은 그는 당나라에 다녀온 신라사신이 김춘추라는 사실을 알고 있었다. 이 일로 연정토는 그가 김춘추를 두 차례나 살려줬다고 생각했다.

　연정토는 김춘추를 만만하게 보고 있었다. 김춘추는 재능에 비해 욕심이 과한 사람이었다. 딱히 그를 죽여야 할 이유가 없었다. 차라리 그런 자가 이웃나라의 왕이 되는 것이 신간이 편할지도 몰랐다. 김알천 같은 뛰어난 인물이 신라왕이 되면 골치만 아플 것이었다.

연정토가 김춘추를 봐준 데는 다른 뜻도 있었다. 신라와 백제가 힘의 균형을 이루길 바랐다. 백제와 신라가 한 나라가 되어 고구려에 득이 될 것이 없었다.

김유신은 그가 쳐놓은 올가미에 연정토가 걸려들어 꼼짝 못한다고 믿었다. 연정토는 김유신이 제 거미줄에 걸려 있는 먹잇감이라 여겼다. 신라가 약소국인 까닭에 연정토는 김유신의 야망을 허황된 것이라 치부하곤 했다. 이처럼 김춘추와 김유신과 연정토의 생각은 서로서로 달랐다.

당태종이 백성들에게 공표했다.

"예전에 수나라 양제는 부하들에게 잔인하고 포악했는데, 고구려왕은 인자해 그 백성들을 사랑했다. 수양제는 곧잘 반란을 일으키는 그의 군사로 편안하고 화목한 고구려백성을 쳤기 때문에 성공할 수 없었다. 나에게는 필승의 길 다섯 가지가 있도다.

첫째는 큰 나라가 작은 고구려를 치는 것이고, 둘째는 순리로 연개소문의 반역을 치는 것이고, 셋째는 다스려진 형세로써 고구려 내정의 어지러운 틈을 타는 것이고, 넷째는 편안함으로 피로한 고구려군을 상대하는 것이고, 다섯째는 기쁨으로 고구려백성의 원망에 맞서는 것이다. 너희들은 어찌 승리를 두려워하는 것이냐?"

당태종은 용단을 내렸다. 이번엔 바닷길로 고구려를 정벌하기로 마음먹고 대형 함선 이천 척을 새로 만들라는 칙령을 내렸다. 양자강 유역 백성들을 동원해 군선을 건조했다. 오래지않아 노역에 시달리던 백성들이 민란을 일으켰다. 심기가 언짢았어도 당태종은 함선 건조를 중단해야만 했다. 군자금을 고구려의 다섯 곱절 이상 쓰는 바람에 당나라의 살림살이는 이미 거덜 나기 시작했다. 날이 갈수록 당나라의 살림살이보다 더 당태종의 목숨이 위태로워졌다.

결국 경천동지할 소식이 서라벌로 향하는 김춘추를 뒤따라왔다. 당태종 이세민이 운명했다는 부음이었다. 김춘추는 당태종의 죽음 소식을 듣고 충격에 휩싸였다. 이제 누가 있어 고구려를 당할 것인가, 신라의 희망이 꺼져버린 듯 김춘추는 상심했다. 당태종과의 약조가 그의 시신과 함께 땅속에 묻히는 것은 아닌지, 김춘추는 괴로웠다.

7. 고구려에 소리치고 백제를 공격하라

647년, 선덕여왕이 운명하자 왕위를 계승하려는 암투가 벌어졌다. 유력한 후보 김비담, 김알천, 김춘추, 이 셋 가운데 김비담이 먼저 칼을 뽑았다. 김춘추와 손잡은 김알천에게 상대등 김비담이 밀렸다. 김비담이 군사를 일으켰으나 김유신이 그 세력을 제압했다. 김비담은 역적으로 몰려 일족이 멸문을 당했다. 김유신이 신라의 병권을 손안에 넣었다. 먼저 움직이는 쪽이 진다고 했던 강수의 계략은 한 치도 어긋나지 않았다.

하지만 서라벌의 민심은 김춘추가 아닌 김알천으로 기울었다. 민심은 김알천의 용력과 인품을 높이 샀다. 지금당장 보위에 오르고 싶어 하는 김춘추를 김유신과 강수가 말렸다. 김춘추가 김알천과 타협해서 승만勝曼 궁주를 보위에 올렸다. 진덕여왕이었다. 여왕은 내란을 피하려는 절충안이었지만 미봉책이었다. 진덕여왕도 후사를 남길 수 없는 석녀였다.

몇 해 뒤 진덕여왕이 유명을 달리했다. 왕위 승계를 놓고 신라 전체가 들썩거렸다. 피의 소용돌이가 휘몰아치기 전 화백회의는 왕위 계승자로 김알천을 추대하기로 했다. 더 이상 화백회의에 승복하지 않겠노라 작심한 김춘추가 김유신에게 속마음을 토로했다.

"오늘 이 김춘추와 천 년 역사의 화백회의 둘 중 하나가 죽소!"

김유신이 칼을 뽑았다.

"그럼, 화백회의가 죽어야지요."

김춘추가 신라역사상 최초로 화백회의에 반기를 들었다. 김유신이 화백회의가 열리는 서라벌 남산 우지암에 군사를 풀어 우지암을 빙 둘러쌌다.

계백이 말했었다. '알천공, 부디 김유신을 조심하십시오.' 김알천는 너무 늦게 계백의 충고를 생각해냈다. 김알천이 김유신의 군사들에게 외쳤다.

"나는 늙어서 정사를 볼 수 없으니 길을 터라. 집에 가서 잠이나 청해야겠다."

군사들은 순순히 길을 열어주었다. 김알천은 천천히 산길을 내려갔다. 김알천의 등에 수십여 발의 화살이 박혔다. 그는 호랑이를 때려잡은 맨손으로 흙을 움켜쥐며 고꾸라졌다. 이내 서라벌에 김알천이 호랑이 밥이 됐다는 소문이 돌기 시작했다.

드디어 김춘가 신라왕이 되었다. 김춘추는 그토록 염원하던 옥좌에 올랐어도 마음이 편치만은 않았다. 그가 앉은 옥좌는 백제와 고구려의 동맹이라는 가시 돋친 방석이 깔려 있었다. 무열왕이 황금방석에 앉아있던 어느 해였다. 누워있던 가시가 불뚝 일어섰다. 고구려와 백제의 협공이 그의 엉덩이를 찔러댔다. 무열왕은 눈 깜짝할 새에 33개나 되는 북쪽 성을 잃었다. 반 토막이 난 영토에 진골들의 위기감은 극에 달했다. 남자 왕이 여왕보다는 나을 것이라 기대했던 백성들은 분노했다. 신라의 하늘에 낮게 깔린 먹구름이 영원히 물러가지 않을 듯 무겁게 내려앉았어도 무열왕은 포기하지 않았다. 그에게는 강수라는 희대의 천재가 있었다.

　가야의 힘이 둘이라면 신라가 셋, 백제가 넷, 왜국이 둘이었다. 가야와 신라가 합해 다섯이 되었으니 백제를 앞섰다. 신라 쪽이었던 대야성이 무너져 가야의 힘 하나가 백제로 옮겨갔다. 이제 백제의 힘이 다섯, 신라가 넷이었다. 33개 성을 또 잃은 지금은 여섯 대 셋 정도였다. 만약 왜국이 백제 쪽에 반쯤 가세한다면 백제가 일곱, 신라가 셋이었다. 공격하는 쪽이 방어하는 쪽의 세 배쯤은 돼야 했다. 신라의 힘에 당나라가 보내올 힘을 더해도 산술적으로는 부족했다. 백제 편인 고구려의 힘은 계산에 넣지도 않았다. 강수는 골치가 아팠으나 일말의 가능성을 점쳤다. 전쟁은 숫자로만 결판나는 것이 아니었다. 강수는 신라가 숫자에서의 열세를 만회하도록 매일같이 구상했다.

　강수는 큰 그림을 그렸다. 세부전술까지 치밀하게 짠 다음 무열왕을 알현했다. 강수는 당나라에 보낼 국서를 품에서 꺼냈다. 강수가 다짜고짜 무열왕에게 거푸 절을 올렸다. 꿩고기 육포를 먹던 무열왕은 손을 툭툭 털었다.

　"우두선생, 내가 죽기라도 했단 말인가. 어서 일어나시게."

　무열왕은 언제부턴가 강수를 우두선생牛頭先生이라 불렀다.

　"제가 당나라에 보내는 국서를 작성했사온데, 대왕의 목숨을 내놓으셔야만 일이 성사되겠나이다."

무열왕이 두터운 그의 목을 쓰다듬었다.

"내 목을 어디에 쓰려는가?"

"당나라를 움직일 것이옵나이다."

무열왕이 껄껄 웃었다.

"황제를 움직일 수만 있다면 기꺼이 내 목을 네게 주마."

무열왕은 강수가 작성한 국서를 읽어보았다.

'천하에 그토록 이름났던 태종황제께서도 하루아침에 고구려를 멸하지 못했사옵니다. 이는 결코 천책상장이라 칭송 받던 선황제의 지략이 부족해서가 아니옵니다. 연개소문과 안시성 성주가 감히 선황제보다 뛰어났기 때문도 아니옵니다. 저 요동의 사나운 늑대 같은 고구려엔 그를 따르는 충견 백제가 있어 선황제께 육로라는 외길밖에 없었던 탓이옵니다. 육로로는 백만 대군이 아니라 이백만 대군을 동원하셔도 불가할 것이라 사료되옵니다. 수양제의 패인은 황상께서 그 누구보다 더 잘 알고 계실 것이옵니다.

황상께서 고구려의 연개소문을 먼저 벌하려 하심을 잘 알고 있사옵니다. 하지만 백제를 먼저 멸해야만 그 뜻을 이뤄 선황제의 원한을 갚을 수 있사옵니다. 이는 저희 신라가 백제를 없애기 위해 가래침 뱉듯 내뱉는 빈말이 아님을 헤아리셔야 하옵니다.

황제폐하께서도 삼인성호[3]나 증삼살인[4]의 고사를 들으셨을 것이옵니다. 금년과 내년, 내후년에 백제를 정벌한다는 조서를 내리시옵소서. 그리고 올해와 내년에 고구려에만 군대를 보내시옵소서. 그러면 내후년에 백제를 벌한다는 조서를 내리셔도 고구려와 백제는 이를 믿지 않을 것이옵니다. 두 나라를 완벽히 속여 넘기려면 이 방법밖에 없다고 감히 자신하옵니다.

황상을 번거롭게 하고 대당의 병사들이 피를 흘리는데 저희 신라가 어찌 가만히 있겠사옵니까. 저희 신라가 백제 군사 오만을 고구려로 이동시켜, 천자의 군대가 사비성으로 향하는 길을 텅 비게 만들겠사옵니다. 이를 이루지 못한다면 저 김춘추의 목을 폐하께 바치겠사옵니다. 지금 황제께서 보고 계신 이 글을 올린 신라태자의 목도 함께 내놓겠사옵니다. 개부의동삼사 신라왕 김춘추.'

무열왕이 눈을 감았다. 장장 삼 년에 걸친 대작전이었다. 무열왕이 국서를 내려놓았다.

"어떻게 우리 신라가 백제의 군사를 고구려로 이동시킬 수 있다는 것인가? 그것도 오만씩이나. 우두선생, 자신 있는가?"

"감히 대왕의 목을 제 맘대로 걸었으니 은고와 연정토를 부추겨 꼭 해보이겠나이다. 이 작전은 고구려에 소리치고 백제를 공격하는 것으로 삼척동자도 안다는 성동격서이나이다."

무열왕은 흔쾌히 승낙했다.

"감이 좋다. 즉각 국서를 보내라. 어차피 이대로 가면 우리 신라는 망한다. 이렇게 하든 저렇게 하든 어떤 수라도 내야 할 때다. 고구려에 소리치고 백제를 공격하라!"

무열왕은 강수의 성동격서를 거푸 외쳤다.

"고구려에 소리치고 백제를 공격하라! 공격하라!"

무열왕의 웃음이 반월성에 울려 퍼졌다.

신라의 태자가 강수의 국서를 가지고 먼 길을 떠났다. 당고종은 강수의 삼개년 대작전과 신라태자의 입조를 반겼지만 그에게 사근사근하지 않았다. 훗날 신라왕이 될 그를 미리 길들여 놓아야 훗날 편할 터였다.

"너희 신라의 군사는 얼마나 되며 쓸 만한 장수는 있느냐? 만약 없다면 내가 이름난 장군을 총관으로 삼아 신라군을 지휘하겠노라."

강수가 예상한 질문 중 하나였다. 신라태자가 자신 있게 말했다.

"저희는 작은 나라로 정예병은 오만 남짓이나이다. 하오나, 대국에서 군사를 일으키시면 십만을 모아 출정하겠나이다. 김유신이 지휘할 것이옵나이다."

"김유신? 그가 창칼은 좀 만져봤느냐?"

"황상, 아뢰옵나이다. 김유신은 십전십승의 장군이옵나이다. 첫 전투에서 오천여 명의 목을 베고 천 명을 사로잡았고, 일곱 성을 함락시키고 이

---

3) [三人成虎] 전국 시대 위魏나라 방총庞葱이 태자와 함께 조趙나라에 인질로 가기 전에 혜왕을 만났다. "어떤 사람이 시장에 호랑이가 나타났다고 하면 왕께서는 믿겠습니까?" "그 말을 누가 믿겠습니까?" "그럼 두 사람이 와서 같은 말을 하면 믿으시겠습니까?" "반신반의 하겠지." "세 사람이 와서 같은 말을 한다면 어떻게 하시겠습니까?" "그 말을 믿을 것 같다." "시장에는 분명히 호랑이가 없습니다. 그러나 세 사람이 같은 말을 하면 호랑이가 나타난 것이 됩니다. 저는 지금 멀리 조나라로 떠납니다. 제가 떠난 후 저에 대해 왈가왈부하는 사람이 셋만은 아닐 것입니다. 귀담아 듣지 마십시오." "내가 직접 확인한 것이 아니면 믿지 않을 테니 걱정마라." 방총이 출발하고 조나라에 도달하기도 전에 그의 근심대로 참소가 들어왔다. 이에 혜왕은 방총을 의심하게 되었다. 몇 년 뒤 태자는 인질에서 풀려 귀국했지만 방총은 그가 예견한 대로 왕을 만날 수 없는 신세가 되어 있었다. [전국책戰國策]

4) [曾參殺人] 증자曾子가 노魯나라의 비費라는 곳에 있을 때의 일이었다. 이곳의 사람 중에 증자와 이름과 성이 같은 사람이 있었다. 하루는 그 사람이 살인을 하였다. 그러자 사람들이 증자의 어머니에게 달려와 말하였다. "증삼이 사람을 죽였습니다." 증자의 어머니가 말하였다. "내 아들은 사람을 죽이지 않았소." 그리고는 태연히 짜고 있던 베를 계속 짰다. 얼마 후 또 한 사람이 뛰어와 말하였다. "증삼이 사람을 죽였습니다." 증자의 어머니는 이번에도 미동도 않고 베를 계속 짰다. 또 얼마의 시간이 지났다. 어떤 사람이 헐떡이며 뛰어와 말하였다. "증삼이 사람을 죽였어요!" 그러자 증자의 어머니는 두려움에 떨며 베틀의 북을 던지고 담을 넘어 달렸다. 증자를 굳게 믿었던 어머니도 세 사람이나 증자를 의심하니, 그 어머니조차도 자기 아들을 믿을 수 없게 되었다. [전국책戰國策]

천의 목을 베었나이다. 다음 삼천의 목을 베고, 백제 장수 여덟을 사로잡았고, 천의 목을 베었나이다. 그다음 열두 개 성을 빼앗고 이만의 목을 베고 구천을 사로잡았고, 아홉 성을 공격하여 구천의 목을 베고 육백을 사로잡았나이다.

스무 개 성을 빼앗고 삼만의 머리를 베어, 시체가 들에 가득하고 절굿공이가 핏물 위에 뜰 정도였나이다. 또 달솔 정중과 군사 백을 사로잡고, 좌평 은상과 달솔 자견 등 장수 열 명과 군사 팔천구백팔십 명의 목을 베었나이다. 군사들은 뼈를 드러낸 채 들에 쌓이고 몸뚱이와 머리가 서로 멀리 나뉘어 뒹굴었나이다. 이때 군마 만 마리와 갑옷 천팔백 벌을 노획하였나이다. 이상이옵나이다."

내심 놀라는 당고종과 달리 무武황후의 얼굴은 점점 일그러졌다. 좌우의 시위들에게 무황후가 명을 내렸다.

"저 자의 목을 쳐라!"

당고종이 무황후를 말렸다.

"왜 그러시오?"

무황후는 대꾸조차 하지 않았다.

"너희 신라가 백제에 밀리고 있다더니 순 거짓이로구나! 김유신이 그처럼 많은 전공을 세웠는데 어찌 너희 나라가 위태롭다고 매번 거짓말을 늘어놓는 것이냐. 너희가 열 번을 이겨 십만의 적을 베었는데, 백제가 너희를 핍박하고 있다는 게 말이 되느냐. 너희와 백제가 서로 짜고 우리를 속여, 대국의 군사를 몰살하려는 술책이 아니더냐. 그리고 그 잘난 김유신이 왜 우리 당나라의 원수 고구려와는 싸우지도 않느냐? 네놈들도 백제와 마찬가지로 고구려의 끄나풀이 아니더냐?"

신라태자는 식은땀이 났다. 무황후의 위엄은 황제를 압도하고도 남았다. 어린 시절부터 영특했던 무황후는 후궁시절부터 당태종의 어깨너머로 정사를 배웠다. 당고종의 황후가 되자 그녀의 재능은 빛을 발했고, 당고종이 정권이 무황후에게 넘어갔음을 깨닫는 데는 오랜 시일이 걸리지 않았다. 신라태자가 바닥에 머리를 찧으며 말했다.

"황후마마! 용서해주시옵소서! 대국의 성은을 입지 못할 듯싶어, 신이 조금 과장을 했사옵니다. 그렇지만 단 하나 분명한 사실이 있나이다."

"무엇이냐?"

"김유신이 대당의 명장들에 비해 크게 미흡한 것은 사실이옵나이다. 하오나, 그나마 김유신이 있기에 미약한 저희 신라가 망하지 않고 근근이 버티는 것이옵나이다."

당고종이 무황후에게 나직이 말했다.

"전공은 부풀려지기 마련 아니오. 김유신의 전공이 반은 사실이 아닐 것이고 두 배 정도는 부풀려졌을 게요. 저자에게 아량을 베풀어줍시다. 어찌되었거나 김유신이 신라에서 제일가는 장수라 하니 그에게 신라군을 통솔하게 하십시다."

무황후는 반걸음 물러섰다.

"김유신이라는 자가 졸장은 아닌 듯싶습니다만, 넘치는 말에는 거짓이 숨어있기 마련입니다."

무황후는 궁금했다.

"이 삼개년 대작전이 누구의 계책인 게냐?"

"김유신이옵나이다."

신라태자는 강수의 존재를 숨겼다. 무황후는 이 장기간에 걸친 대규모 작전을 내심 맘에 들어 하였다.

"황상, 김유신이라는 자가 지장智將은 되는가봅니다."

당고종이 신라태자에게 말했다.

"짐이 너희 나라의 의지를 시험 한번 해본 것이다. 신라왕 김춘추를 우리 대당의 총관으로 삼겠다."

신라태자는 낙담했다. 신라 국왕이 대총관도 아닌 총관이라니, 하지만 그는 황명에 아무런 토도 달지 못했다. 당고종은 유약했어도 어리석은 군주는 아니었다.

태자가 신라의 계책에 호응하겠다는 당고종의 국서를 무열왕에게 전했다. 야심찬 삼개년 대작전의 시작에 무열왕이 함박웃음을 지었다. 김유신과 강수는 기뻐할 겨를이 없었다. 당군이 바다를 건너기 전에 백제의 힘을 분산시켜야 했다. 어서 빨리 백제의 실세인 은고를 움직여야 했다. 신라가 마음먹는다고 무조건 되는 일이 아니었다. 은고는 타국의 여왕이었고 작전은 비밀리에 진행해야 했다. 강수는 은고를 움직이려 백제의 유력한 중신을 포섭하기 시작했다. 작전은 더디게 진행됐지만 역사를 실은 시간의 수레바퀴는 멈추지 않았다. 그 명운의 바퀴는 터덕거리며 앞을 향해 나아갔다.

*

    삼개년 대작전 첫해인 658년, 백제를 공격한다는 당고종의 조서에 사비궁은 난리가 났다. 백제는 바짝 긴장했으나 결국 말뿐 백제로 쳐들어오는 당나라군은 없었다. 백제는 안도했지만 고구려는 그러지 못했다. 당나라의 맹장 설인귀薛仁貴가 고구려로 쳐들어왔다.

    원정길에 오른 설인귀의 수중에는 군자금 외에 황제에게서 별도로 받은 금은보화가 가득했다. 설인귀의 입에서 군사들이 그의 전공을 찬양한 노래가 저절로 나올 지경이었다.

將軍三箭定天山
壯士長歌入漢關

장군의 화살 셋이 천산을 평정하니,
장사들이 길게 노래하며 대당의 관문으로 들어서네.

    설인귀는 전장의 불문율을 자주 어겼다. 항복한 적은 물론 무고한 양민을 죽이는 일을 서슴지 않았다. 군사들에게도 맘껏 약탈할 기회를 주었다. 전리품을 챙기려는 군사들은 설인귀를 제일가는 명장이라며 떠받들었다. 전쟁터에서 한몫 잡으려는 백성들은 설인귀의 휘하로 몰려들었다.

    설인귀의 부대는 사기는 늘 충천했지만 고구려군의 기세 또한 여전했다. 고구려가 괜히 동방의 맹주로 불리는 것이 아니었다. 일진일퇴의 공방전이 매일매일 벌어졌다.

진격에 어려움을 겪자 설인귀는 당고종이 내린 밀명을 떠올렸다.

"설인귀장군, 그대의 임무는 고구려를 흔드는 것이오. 강한 고구려 군대를 만나면 무리하지 말고 우리 군사들의 피해를 줄이시오. 언제든지 철군을 해도 좋다는 뜻이오."

"황상, 그게 무슨 말씀이시옵니까?"

"장군이 패하거나 후퇴했다고 해서 짐이 그대를 문책하는 일은 없을 것이오. 그대가 요동에서 선황제의 목숨을 두 번이나 구한 공을 짐은 잊지 않고 있소. 그대마저 고구려에서 목숨을 잃는다면 짐이 무슨 면목으로 선황제를 뵙겠소. 그대를 벌주려는 것이 아니니 장군은 짐의 명령에 따르기만 하시오."

"명심하겠나이다."

"이기면 상을 받고 져도 벌은 없는 대신, 고구려로 가거든 마음껏 짓밟으시오. 그놈들이 정신을 못 차릴 만큼 활개를 치시오. 고구려는 우리의 큰 그림을 이해하지 못할 것이오."

그래, 돌아가자, 설인귀는 망설이지 않고 바로 퇴각명령을 내렸다. 고구려까지 와서 전리품 하나 챙기지 못한 것이 안타깝긴 했다. 살아만 있다면 전공을 세울 기회는 얼마든지 있었다. 고구려가 아니라도 전장은 널려있었다. 설인귀가 말머리를 돌렸다며 고구려군은 환호했다. 맥없이 물러난 설인귀의 작태가 수상쩍었지만 고구려군은 그것으로 만족했다.

계백의 사저는 오천솔이 자주 드나들고 있어 역모를 꾸민다는 모함을 받기 십상이었다. 왕이 아닌 왕족으로 태어난 계백의 운명이었다. 계백은 은고가 노리는 표적 중에 표적이니 더욱 조심하지 않으면 안 되었다. 소일 거리를 만드는 것은 모함을 예방하는 일이기도 했다.

계백은 이번에는 물시계를 만들기로 하였다. 물시계를 만드는 작업은 집중을 해야 했지만 계백의 손은 덤벙거리기 일쑤였다. 그의 신경이 온통 두 아들에게 가 있어서였다. 두 아들이 장성하는 모습을 바라보는 계백의 입가에 미소가 떠나지 않았다. 계속되는 계백의 헛손질에 타로는 안절부절못했다.

"어이쿠, 여러 달 공을 들인 물시계가 엉망이 되겠사옵니다. 이러다가 교기왕자님과의 내기에서 지시겠사옵니다."

계백은 지금 내기를 하는 중이었다. 왜국에 있는 부여교기와 누가 더 정밀한 물시계를 만드는지 겨루고 있었다. 첫째 문우가 계백에게 말했다.

"아버님, 마무리는 저희들이 하겠사옵니다."

둘째 문효가 계백의 등을 떠밀어 방 안으로 들여보냈다.

아들들을 향하는 계백의 흐뭇한 미소는 밤에도 계속되었다. 그는 방밖으로 새어나오는 두 아들과 타로의 대화를 가끔 들어보았다. 타로는 문우와 문효에게 시와 역사를 가르치고 있었다. 둘째 문효가 타로에게 질문했다.

"안시성 전투 때 아버님께서 사신으로 고구려에 가셨다면서요?"

"그렇사옵니다. 그때 왕자님의 활약이 굉장했습지요. 일세의 영웅 당태종을 좌지우지했습니다요. 만약 작은 왕자님들이라면 어찌하셨을까요?"

문우가 의아해했다.

"무슨 수를 쓰신 거지요? 우리보다 힘이 센 고구려와 당나라, 당태종을 상대로 어떻게 그럴 수가 있지요?"

동생 문효가 형의 질문에 대답했다.

"저라면 고구려 오십만 대군의 힘과 당나라 백만 대군의 힘을 역으로 이용해가며 두 나라를 견제하겠습니다."

타로가 말했다.

"맞사옵니다. 당시 왕자님께서는 다섯 가지 책략을 미리 준비하고 계셨사옵니다. 최하책은 고구려가 손쉽게 당나라에 대승을 거두는 것이옵니다."

문효가 타로의 말을 가로챘다.

"그러면 하책은 당나라가 고구려를 크게 이기는 것이겠군요. 어느 한족이 일방적으로 이기면 우리 백제도 위험하기 때문이겠지요?"

"그렇사옵니다. 고구려 다음은 우리 백제이옵니다. 그럼 중간 정도 되는 계략은 무엇이겠사옵니까?"

"당나라가 큰 피해를 입으면서 작은 승리를 거두는 것, 어떻습니까?"

"나머지도 마저 말씀하십시오. 이미 알고 계신 것 같은데."

문효가 빙긋 웃었다.

"상책은 고구려가 큰 손실을 보면서 당나라를 물리치는 것. 최상책은 두 나라가 서로 힘이 다할 때까지 싸우다 비기는 것."

"맞사옵니다. 어찌 그리 왕자님의 생각과 꼭 같사옵니까. 최상책이 실현되면 우리 백제가 천하의 주인자리를 노릴 수 있었사옵니다. 그런데."

"그런데요?"

타로는 얼버무렸다. 계백과 백제 조정의 의견이 서로 달랐고, 그의 첫사랑 가비류의 죽음이 생각났기 때문이었다.

"말씀 안 드려도 아시겠지만 그 역사적인 순간 바로 그 자리에 저 타로가 있었사옵니다. 당태종을 약 올리며 그 광활한 대지를 누비고 다녔습지요."

"스승님!"

문효가 버럭 소리를 질렀다. 타로가 자랑을 뚝 멈췄다.

"저뿐만이 아니라 물론 오천솔들도 같이 있었습지요."

"그렇다 해도 실질적으로 당태종을 무찌른 것은 안시성이 아닌가요? 안시성의 성주가 그리 대단한 인물인가요? 고구려는 어찌 그리 힘이 막강한가요? 연개소문은 어떤 인물인가요? 그 아우 연정토는? 아버님께서 연정토도 만나셨다면서요?"

문효가 질문을 한꺼번에 퍼부었다. 타로가 웃었다.

"작은 왕자님, 질문이 엄청 많사옵니다. 왕자님께서 말씀하시길 연개소문이 동방에서 으뜸가는 위인이고 그 다음이 사택소명, 세 번째가 연정토욕살, 네 번째가 계백왕자님의 친족인 귀실복신, 그 밑이 김유신이라 하셨사옵니다.

하지만 안시성에서 말이옵니다. 하도 이세민 이세민하기에 간을 졸였었는데 막상 고구려 요동에 가서 부딪쳐보니 그게 아니었사옵니다요. 왕자님이 최고였사옵니다. 황제에, 천가한에, 천책상장이라는 이세민의 얼을 빼놓았사옵니다. 제가 보기에는 왕자님이 이 세상에서 제일 잘나셨사옵니다."

"그 다섯 사람 가운데 안시성 성주가 왜 빠진 거예요?"

"오늘은 늦었으니 나머지는 내일 말씀드리겠사옵니다."

타로는 피곤한 척하며 자리에서 일어났다. 문효가 베개를 들고 타로를 따라 나섰다. 타로의 방까지 따라온 문효에게 타로가 말했다.

"각시투구꽃이라고 혹시 들어보셨사옵니까? 고구려 개마산에서 자생하는 독초인데 안시성 성주가 바로 그 꽃 같사옵니다."

"독초? 그렇게 무시무시한 성주라면 백성들이 피곤하겠군요."

"아니옵니다. 고구려의 적에게만 그러하옵니다. 안시성 성주는 선정을 베풀어 백성들에게만큼은 그들을 살리는 약초나 매한가지이옵니다."

문효가 고개를 주억거렸다. 타로가 문효에게 말했다.

"내년에는 왕자님께 말씀드려 고구려로 여행을 갈까 하옵니다. 이 땅에 태어난 이라면 겨레의 성지 안시성을 적어도 한 번은 봐야하지 않겠습니까. 고구려의 광활한 들판을 보니 저 같은 샌님의 피도 끓어올랐습니다요. 저도 우리 몸에 휘도는 피가 저 대륙의 것임을 새삼 깨달았거든요."

"그럼 제 글공부는요?"

"고구려에 여행 한 번 하는 게 책 열 권 읽는 것보다 나은 공부가 될 것이옵니다. 왕자님께서 허락하시면 그 다음해엔 왜국을 한번 다녀오시지요. 두부와 콩나물처럼 고구려와 백제는 부여라는 콩나무에서 나왔으니, 안시성과 나라奈良는 우리에게도 손색없는 자랑거리 아니겠습니까."

"우와, 스승님."

문효가 타로의 품을 파고들었다. 동녘에서 희붐한 아침 해가 떠오르고 있었다.

몇 해 전 계백은 아이들의 스승으로 서슴없이 타로를 선택했다.

"예? 작은 왕자님들을 가르치라고요? 어찌 미천한 제가."

"한번 가르쳐봐라. 너도 깨닫는 게 꽤 많을 것이다. 물론 거저 내 아이들을 가르치라는 게 아니다. 답례로 내가 너에게 돈벌이 밑천을 대주겠다. 네 꿈이 있다 하지 않았느냐. 학당을 차리고 싶다고 했었지?"

타로는 받아들였다. 그의 소망을 기억해준 주군이 고마웠다. 타로는 돈벌이 수단이 무엇인지 계백에게 물어보았다.

"선박 만드는 일을 하는 게 어떻겠느냐?"

"배를 만들어서 어찌하라는 말씀이신지요?"

"왜국으로 사람들이 많이 이주하지 않느냐?"

"그렇사옵니다."

"오가는 사람들이 점점 많아질 게다. 큰 배는 네게도 좋고 우리 백제의 이득에도 보탬이 된다. 훗날 너의 선단이 그 누군가에게는 더 큰 도움이 될지도 모르잖느냐."

"그게 누구일가요?"

"때가 되면 자연스럽게 나타날 것이다."

세월이 알려줄 것이라 믿고 타로는 더 이상 토를 달지 않았다.

"그나저나 왕자님, 근자에 본국에서 왜국으로 사람들이 너무 많이 이주하는 거 아니옵니까? 왜국의 인구가 이미 오백만을 넘어 섰답니다요."

"미개척지가 많은 왜국에서 땅을 일구어 잘살아보겠다는데 누가 말리겠느냐. 네 배로 사람들을 이주시킬 일만은 아니다. 외국과 교역도 해라. 고구려는 물론, 남만, 또 저 당나라와도 거래를 해라."

*

659년 당고종은 백제를 공격한다는 조서를 다시 발표했다. 그러고는 백제가 아닌 고구려를 공격했다. 설인귀가 고구려 영토 깊숙이 들어와 한바탕 소란을 피우고는 당나라로 돌아갔다.

백제는 거듭 당나라한테 속았다. 어이가 없었으나 깊이 고민하지 않았다. 백제의 시선과 군사력을 분산시키려는 신라의 술책이라 여겼다. 당태종보다 못난 당고종한테 겁먹을 이유는 없었다. 내년, 아니 내후년이면 천년 고목 신라는 그 허리가 꺾일 것이었다.

어느덧 삼개년 대작전의 개시일이 반년도 채 남지 않아 김유신은 초조해했다. 어느 날 조미압租未押이라는 사람이 김유신을 찾아왔다. 조미압은 백제와의 전쟁 때 항복한 신라의 벼슬아치였다. 백제로 압송돼서 좌평 사택임자砂宅任子의 종이 되었다. 조미압이 수년 동안 성실하게 일을 하니 사택임자는 한때 귀족이었던 그를 불쌍히 여겨 집 밖 출입을 허락했다. 그 기회를 틈타 조미압은 백제를 탈출했다.

김유신 앞에서 조미압은 백제의 내부사정을 죄다 털어놓았다. 오래도록 박장대소를 한 뒤 김유신이 강수를 불러 대책을 논의했다. 김유신은 조미압에게 밀명을 내렸다.

"은고의 동생 사택임자가 백제의 국사를 좌우하고 있어 내가 그와 밀약을 맺으려는데 기회를 얻지 못하고 있었다. 네가 나를 위해 백제로 다시 돌아가서 사택임자한테 이렇게 전하라. 나라의 흥망은 예측할 수 없으니, 만일 백제가 망하면 사택임자의 뒷일은 내가 책임지고, 신라가 망하면 사택임자가 나 김유신을 돌봐주기로 하자고."

"그 말씀은?"

강수가 조미압에게 말했다.

"백제 내부에서의 도움 없이는 우리의 승리를 장담 못한다. 사택임자를 우리 편으로 끌어들이면 좋겠는데, 그의 속내를 잘 알지 못한다. 그러니 일단 그의 의중을 한번 떠보려는 것이다."

강수가 조미압에게 쐐기를 박듯 말했다.

"명심하시오! 그대가 이 일을 해내지 못하면 망하는 건 백제가 아니라 우리 신라일 것이오."

조미압은 급히 백제로 돌아가 김유신의 밀명을 사택임자에게 전했다.

"사실 저는 신라에 갔다가 돌아왔사옵니다. 김유신이 이렇게 전하라 하였사옵니다. 적이 아닌 친구가 되고 싶다고. 신라에도 듬직한 친구가 있는 게 나쁠 건 없지 않느냐고 여쭤보라 하였사옵니다."

"뭐? 김유신이?"

사택임자는 주저주저했다. 보름 뒤 사택임자는 조미압을 통해 김유신에게 서신을 보냈다.

김유신이 사택임자의 서찰을 펼쳤다. 三口有點삼구유점 牛頭無角우두무각 달랑 여덟 글자가 적혀 있었다. 무슨 뜻이냐는 듯 김유신이 강수를 쳐다보았다. 강수가 말했다.

"세 개의 입에 점이 하나 있으면 그 글자는 言이옵니다. 牛 모양에서 뿔을 지우면 午가 되옵니다. 言과 午를 합하면 許가 되니 유신공의 요청을 사택임자가 받아들인다는 말입니다"

김유신은 미소를 지었다. 대개는 사택임자처럼 속내를 다 드러내지 않을 것이었다. 위험을 무릅쓰고 글로 화답한 사택임자를 김유신은 전적으로 신뢰하기로 했다.

조미압은 부지런히 양국을 오가며 백제의 내부사정을 김유신에게 전했다. 무열왕은 김유신이 사택임자랑 딴생각을 하지 않는지 염탐꾼을 붙였다. 나라의 존망이 달린 일이었다.

당고종은 고구려에게 복수하고 싶었다. 안시성에서 치욕을 당한, 아버지 당태종의 복수도 해주고 싶었다. 당고종이 백곰처럼 사나운 설인귀를 고구려로 파견한 데에는 속내가 있었다. 피 맛을 본 여우처럼 설인귀가 줄기차게 고구려를 괴롭히길 바랐다. 하지만 천하의 주무제도, 수양제도, 당태종 이세민도 고구려를 제압하기에는 역부족이었다. 광개토태왕 이후 선비족이 다스리는 서토는 동방 고구려와의 전쟁에서 백전백패였다. 고구려는 정말 이 세상에 있는 창으로는 뚫을 수 없는 방패 같았다.

당고종은 백제를 먼저 정복한 뒤라야만 고구려를 멸할 기회가 생기겠다는 것을 수차례의 시행착오에서 깨달았다. 백제 선공략하는 것은 선택이 아니라 절대로 버려서는 안 되는 패였다. 마침내 당고종이 용단을 내렸다. 신라의 계책대로 신라와 함께 백제를 먼저 치기로 했다.

660년 3월 당고종이 소정방蘇定方을 불러 참담함을 토로했다.

"소정방 장군, 일찍이 선황 태종께서 이리 말씀하셨소.

'나는 알고 있다. 근본을 버리고 말단으로 달려가는 일, 높은 것을 버리고 낮은 것을 취하는 일, 가까운 것을 두고 먼 것을 택하는 일, 이 세 가지는 상서롭지 못한 것이다. 고구려를 치는 것이 바로 그것이다.

하지만 나는 그 고구려를, 저 연개소문을 그냥 둘 수 없도다. 고구려와 연개소문을 이대로 두면, 먼저 망하는 건 우리 당나라이기 때문이다. 이는 지난 칠백 년 동안의 역사가 입증한 것이다. 그래서 무슨 수를 써서라도 고구려를 멸해야 한다.'

소 장군, 그대만 믿소. 꼭 승리해야만 하오. 만일 이번에도 실패한다면 진짜 우리 당나라가 무너질지도 모르오. 국고가 비었으니 아마 당분간은 마지막 기회일 것이오."

"황상, 신명을 바쳐 꼭 대업을 이루겠나이다."

당고종이 소정방의 두 손을 꽉 그러쥐었다.

"그대의 주먹만 믿소. 부황께서도 못하신 일이니 쉬운 일이 아니라는 건 잘 알고 있소. 하지만, 부황의 원수를 갚고자 하는 짐의 효심 또한 알고 있으리라 믿소. 부황께서는 아직도 눈을 감고 계시지 못할 게요."

"황상!"

유약한 성품인 당고종의 눈에 눈물이 어렸다. 고구려를 정벌하려다 스러져간 당태종을 생각하던 소정방의 마음도 아렸다. 황후 무조武曌가 혀를 찼다.

'출정을 앞둔 사내들이 이 무슨 궁상인가.'

무황후가 분위기를 바꾸려 기운차게 말했다.

"대장군, 백제를 멸한 다음, 내친김에 전후를 살펴 신라도 쳐버리세요."

잠시 대총관의 처지를 망각했던 소정방은 정신이 번쩍 났다.

"명심하겠사옵니다. 황후마마."

"백제의 보물들을 모조리 빼앗아오세요. 백제가 다른 나라와 교역을 잘한다니 금은깨나 모아두었을 거요. 대총관께도 넉넉히 나눠드리리다. 그대를 위한 왕후의 반열은 이미 준비되어 있소. 소장군, 이기기만 하면 되오."

"성은이 하해와 같나이다."

태극궁에서 물러가려는 소정방을 무황후가 불러 세웠다.

"빠트린 것이 하나 있소. 백제에 가거든 명광개明光鎧를 찾아 반드시 가지고 오시오."

"명광개라면 태종황제께서 주필산에서 입으셨던 그 전설의 갑옷 아니옵니까?"

"그렇소. 안시성에서 철군할 때 태종황제께서 그 명광개를 요택에서 잃어버렸다고 하셨소."

"하오나, 그때 백제의 사신 계백은 명광개는 한 벌밖에 없다고 했습니다."

"거짓말일 것이오. 분명히 또 있을 것이오. 둔갑술에 능하다는 연개소문의 목을 베려면 아무래도 그 신령스러운 명광개가 있어야 할 거 같소. 꼭 찾아오시오."

"예!"

당고종은 고구려로 원정을 떠날 대총관 셋을 발표했다. 그 명단은 계필하력, 이세적, 소정방이었다. 그중 계필하력과 이세적은 고구려와 백제의 염탐꾼들을 속이기 위한 가짜 정보였다. 계필하력과 이세적이 고구려를 향해 실제로 출정하기는 했어도 당나라의 진짜 목표는 소정방이 향하는 백제였다. 이 기습작전의 성공은 그 누구도 장담하지 못했다. 당고종은 곧잘 고개를 갸웃했고 무황후도 반만 믿었다.

"황후, 정말 단 한 차례의 공격으로 백제를 멸할 수 있겠소? 이번 작전은 아무래도 무리하는 생각이 자꾸만 드오."

"황상, 신라가 저렇게 자신하니 일단 믿어보십시오. 저들이 큰소리치는 이유가 있을 겁니다. 그리고 이미 내린 결론이 아니옵니까? 고구려를 멸하려면 이 우회작전 밖에 없습니다. 하늘이 황상과 우리 대당을 도울 것이옵니다."

"만약, 만약 말이오. 신라의 삼개년 대작전, 이 모든 것이 연개소문 그놈이 꾸민 모략이라면?"

찻잔을 쥐고 있던 무황후의 손이 부들부들 떨렸다.

"끝장이지요. 십오만 병사가 황해에 수장당할 것이옵니다. 아니길 빌어야지요."

"빕시다. 빌고 또 빕시다. 이번 기회를 놓치면 다시는 이런 기회조차 오지 않을 것이오. 고구려 정벌은 영영 끝이오."

제3장

황산벌의 사흘

8. 여왕 은고

　거칠 것 없는 은고의 욕망은 나이를 먹을수록 재물에 대한 끝 모를 탐욕으로 나타났다. 그녀의 주머니로 들어오는 수입 중에는 신라군 포로들을 노비로 팔아 챙긴 돈도 있었다. 백제 땅에 은고의 목장은 계속 늘어났다. 군마를 길러 고구려에 파는 것은 그녀의 새 돈벌이 수단이었다. 사택천복이 황금 오천 냥을 들여 귀족들에게 진미를 대접해 그의 부유함을 과시하면, 은고는 이에 질세라 한 끼 식사에 백금 만 냥을 쓴 것을 자랑했다. 상좌평 사택천복과 누가 더 재산이 많은지 서로 재보며 달포를 지새웠다. 금은보화마다 값을 매기고, 노비, 농장은 물론 목장에서 기르는 수천 마리의 마소까지 일일이 다 세었다.

　은고는 따분하다 싶으면 사택천복, 예식진祢寔進, 국변성國辨成 등과 말 경주를 보며 소일했다. 누구의 말이 빠른지, 귀한 보물들을 걸고 내기를 했다. 내기는 더 큰 내기를 불러왔다.

　"이번 판에는 통 크게 놀아봅시다. 목장 열 개를 겁시다. 어떻소?"

상좌평 사택천복이 호기를 부리자 병관좌평 예식진은 엄살을 떨었다.

"목장 서른 개가 제 전 재산입니다. 상좌평, 다섯 개만 합시다."

예식진의 말을 귀담아 듣고 있던 은고가 나섰다.

"병관좌평, 우리 쩨쩨하게 놀지 맙시다. 가진 것을 다 걸 수 있어야 진짜 사내라지요? 자, 다를 목장 서른 개씩 겁시다."

은고에게는 예식진을 그녀의 수족으로 만들려는 속셈이 있었다. 그녀는 군마 양성과 조련을 책임지고 있는 예식진과의 내기에서 이긴 다음 되돌려주는 은혜를 베풀 심산이었다. 막대한 판돈이 걸린 내기에 응한 예식진도 속셈이 있었다. 그에게는 그동안 경주에 선보이지 않은 명마가 있었다.

경주 결과 예식진의 명마가 우승을 차지했다. 그 명마가 탐이 난 은고는 예식진에게 황금과 맞바꾸자고 했다. 황금은 황금을 낳지 못하지만 천리마는 천리마를 낳을 수 있었다. 예식진은 은고가 도저히 받아들일 수 없는 조건을 내세웠다.

"명광개를 제게 하사해주신다면 흔쾌히 제 천리마를 바치겠사옵니다. 목장도 다 내놓겠사옵니다."

은고가 목소리를 높였다.

"명광개? 감히, 명광개를 내놓으라니! 그 것을 탐한다는 것은 반역이나 다름없소. 예식진 좌평."

"예. 하교하옵소서."

"내일 그대는 웅진방령 임명장을 받을 것이오. 목숨을 부지한 것을 다행으로 아시오."

은고는 곧바로 예식진을 웅진성으로 쫓아버렸다. 웅진은 사비성과 새로이 조성된 고을 금마저의 위세에 눌려 쇠락해가는 옛 도읍이었다. 웅진방령의 직급은 좌평이 아니라 달솔이었다. 말 한마디 잘못했다가 좌천을 당한 예식진은 은고에 대한 보복을 꿈꾸었다.

"이년! 내 반드시 앙갚음해주마!"

은고는 나날이 열리는 말 경주에 싫증이 났다. 격구로 눈을 돌렸다. 사비성 밖 널따란 들에서 격구 경기가 하루가 멀다 하고 열렸다. 격구는 말 경주보다 볼만했지만 구경만 하는 것은 은고의 성에 차지 않았다. 은고는 뭇 사내들을 제 발아래다 두고 싶었다.

은고는 좌평들을 이간질하고 모함해 한 명씩 한 명씩 굴복시켰다. 귀족들 중 핵심인물인 사택소명이 끝까지 버티자 은고는 그를 아예 주살하려 마음먹었다. 사택소명은 의자왕의 신임이 워낙 두터워 그를 제거하려면 의자왕의 허락이 필요했다.

"대왕, 사택소명이 감히 대왕의 윤허도 없이 고구려에 다녀왔답니다. 고구려와 내통하고 있다는 소문까지 돌고 있사옵니다. 국법으로 그를 처단하셔야 하옵니다."

"헛소문일 게요. 사택소명이 그럴 리도 없을 테고 설령 그에게 죄가 있다 해도 나는 그를 죽이지는 않을 거요. 사택소명은 보기 드문 현자요. 그런데 그런 얘길 누구한테 들었소?"

그간 귀족세력 견제 차원에서 알고도 모르는 척했던 의자왕은 이번만큼은 은고의 뜻을 받아주지 않았다. 사택소명은 다재다능했고 성품 또한 군자였다. 의자왕은 오히려 시골에서 은거하고 있는 사택소명을 불러 술 한 잔과 담소를 나누었다.

어느덧 사비성 안에는 은고의 뜻을 거스를 수 있는 신하가 거의 남지 않았다. 계백이 호랑이의 송곳니라면 사택소명은 호랑이의 발톱이었다. 의자왕은 그 송곳니와 발톱을 잃은 늙은 호랑이였다. 하지만 의자왕의 뒤에는 그를 사랑하는 수많은 백성들이 있었다.

백성들은 의자왕이 아닌 은고를 두고 입방아를 찧었다. 여인들은 입만 열었다 하면 은고 얘기였고 사내들은 술안주로 은고를 술상에 올려놓았다.

"이봐, 소문 들었어? 사비궁의 그 흰 여우가 상좌평의 책상에 올라가 옷을 벗고 꼬리를 흔들었대."

"꼬리만 흔들었겠어. 그 사비궁 암캐가 사흘 밤낮을 뱀이랑 놀아났는데, 글쎄, 뱀이 제 꼬리는 놔두고 대가리로 교미를 하다 죽어버렸대. 또 그 사비궁 암탉이 참새 두 마리를 꾀어 한꺼번에 그 짓을 했대."

"참새? 참새는 누구야?"

"누구긴 누구야! 그 암탉을 졸졸 따라다니며 황금쪼가리 모이를 졸라대는 좌평들이지. 그 앙큼한 년 때문에 우리 대왕님만 불쌍하시지."

주위의 험담을 아랑곳하지 않고 듣고만 있던 이가 있었다. 어두운 표정으로 술을 마시던 사내가 술잔을 땅바닥에 내던졌다.

"지금 그게 문제가 아니야. 이 사람들아! 내가 엊그제 들은 얘긴데, 세상에, 글쎄, 은고가, 은고가!"

"은고가, 뭐?"

"아, 글쎄."

"글쎄, 뭐냐고? 술잔까지 던져놓고 웬 뜸을 그리 오래 들여!"

그에게 입을 열라고 다들 성화였다.

"그, 그 년이 그 년이 아니라 그 놈이었어! 어지자지야!"

한 번 바람을 탄 소문은 그칠 줄 몰랐다. 소문이 온 나라에 퍼지면서 은고가 어지자지라는 낭설로 확대됐다. 괴기한 뜬소문이 전염병처럼 돌았지만 민심은 동요하지 않았다. 반란이나 민란의 낌새도 없었다. 의자왕의 실정이라고 따질 만한 것이 없었다. 백성들에게 의자왕은 효도의 대명사 증자처럼 언제까지나 선량한 사람일 뿐이었다.

당나라와 고구려의 전쟁으로 막대한 금은이 백제로 흘러들어오고 있었다. 외국과의 활발한 교역 덕에 백제 전체의 살림사이가 펴졌다. 백성들은 먹고살 만했고 귀족들은 사치할 만했다. 신라와의 전쟁에서는 잇달아 승전고가 울려 퍼졌다. 백제국인들은 웃는 날이 더 많았다.

660년 봄 당나라의 대 고구려 출정 소식이 바다 건너 사비성에도 전해졌다. 사택임자가 은고에게 부리나케 달려갔다.

"누님, 이 기회에 한몫 단단히 챙기셔야 하옵니다. 손해 볼 게 하나도 없는 아니, 무지 남는 장사이옵니다."

은고가 혀를 차며 사택임자를 나무랐다.

"아직도 모르느냐? 우리 군사가 피를 흘리는 일이다! 네 어설픈 말로는 대왕을 설득할 수 없다."

은고는 의자왕이 늙었어도 총기는 여전하다는 걸 간과하지 않았다. 의자왕의 성품을 잘 알고 있는 그녀는 잔꾀를 부렸다.

"대왕께는 이렇게 진언해야 한다. 이 일은 우리 백제를 위하여 하늘이 내린 기회입니다. 우리가 군사 오만을 보내 고구려를 돕는다면 저들과의 동맹은 확고해집니다. 당나라가 고구려를 이긴 적이 없는데, 우리가 발 벗고 나선다면 결과는 빤합니다. 당나라의 침략을 물리치고 나서, 우리가 신라를 차지해도 향후 고구려가 혈맹인 우리를 배반하는 일은 절대로 없을 것입니다. 그러하니, 중간에 있는 우리 백제만 크나큰 국익을 얻는 일입니다."

사택임자가 무릎을 탁 쳤다.

"과연, 누님이시옵니다."

사택임자는 은고에게 김유신과의 밀약을 귀띔할까 하다가 관두었다. 비밀을 혼자만 안다는 것은 왠지 의기양양해지는 일이었다. 사택임자는 은고를 뒤따라가 의자왕을 알현했다. 은고가 먼저 의자왕에게 운을 뗐다.

"대왕, 고구려와의 약조대로 군사 오만을 파병하십시오. 소수의 희생이 따르겠지만 백제를 위한 일이옵니다. 대왕의 명성에 누가 되는 일은 아니옵니다."

은고는 동맹으로써의 약조를 첫째 명분으로 내세웠다. 사택임자가 은고를 거들었다.

"대왕, 고구려가 이미 약속한 금과 은을 보내왔사옵니다. 동맹국과의 약조는 지키시는 게 좋을 듯하나이다. 그래야 우리가 신라 땅을 차지해도 고구려가 군소리를 하지 않을 것이옵나이다."

의자왕이 고개를 끄덕였다.

"나쁠 게 없구나. 고구려에 사신을 보내 군사를 보내겠다고 전하라. 하지만 아무리 승자라 해도 피해는 있는 법, 전사한 군사들의 유족에게 넉넉히 보상해주는 걸 잊지 마라."

마침내 의자왕이 파병을 허락했다. 백제군이 흘릴 피의 대가로 고구려는 황금을 지불했고 그 피 묻은 황금은 사비궁을 거쳐 은고와 사택가문의 보물창고로 스며들어갔다.

백제는 당나라와 고구려 전쟁 덕에 황금이 넘쳐났다. 백제는 칼, 창, 갑옷, 활 등 각종 무기도 고구려에 대주었다. 군량미에 군마는 물론이고 군선까지 만들어 팔아 막대한 이득을 챙겼다. 사비성은 욕심 많은 은고가 주체할 수 없을 만큼 금은이 넘쳐났다.

*

당나라에 있던 계백의 수하가 천장仟將 우도에게 밀서를 보내왔다. 曾參殺人증삼살인. 聲東擊西성동격서. 여덟 글자의 짧은 글이었다. 우도는 지체하지 않고 계백에게 달려갔다.

"전쟁이옵니다. 보시옵소서!"

계백의 눈과 우도의 눈이 마주쳤다.

"증삼살인이라면 세 번의 거짓말, 게다가 성동격서라면?"

"지난해와 지지난해, 이 두 해에 걸쳐 고구려를 친 것은 올해 우리 백제를 치려는 연막작전이었사옵니다."

계백은 입술을 깨물며 금마저를 훑어보았다. 쌍릉을 감싼 잔디는 며칠 전에 내린 비에 반 뼘쯤 자라있었다. 올여름 서쪽에서 휘몰아칠 바람은 예사롭지 않을 것이었다. 어디로 가야 하는가. 백제는 어디로 갈 것인가. 계백은 사저를 떠날 채비를 서둘렀다.

사비성을 향해 말을 몰아가는 계백의 가슴에 바람이 들어찼다. 뚜벅뚜벅 계백은 사비궁을 향해 걸어갔다. 그는 의자왕에게 당나라의 출병이 백제를 향한 것이라고 아뢰었다. 사비궁은 분분한 의견으로 웅성거렸다.

사택임자가 계백의 말을 가로막고 나섰다. 그는 김유신과의 약조를 저버리지 않았다. 사택임자가 의자왕에게 고했다.

"감히 신라가 우리를 공격하다니요! 계백왕자의 주장은 그릇된 것으로 망언이나이다."

계백은 사택임자를 거들떠보지도 않았다. 오로지 형님 의자왕만 바라보았다.

"아니옵나이다. 신라의 음모이옵니다. 대왕, 속지 마소서. 절대로 믿으시면 아니 되시옵나이다. 요동도행군대총관은 계필하력, 평양도행군대총관은 이세적, 그런데 수군을 이끄는 신구도행군대총관은 소정방이옵니다. 소정방이 고구려 수군과 싸울 거라면 수전에 약한 그를 왜 대총관으로 삼았겠사옵니까!"

의자왕이 구부정해진 어깨를 폈다. 은고의 눈동자가 바삐 움직였다. 계백의 말에 의자왕의 심중이 기울고 있음을 느낀 은고가 나섰다.

"계백왕자님, 이제 그만하시지요. 작년과 재작년 당나라의 출병은 모두 고구려만을 노린 것이었습니다. 게다가 당나라가 수륙으로 군사를 동원했으니, 이번 출정도 고구려를 향한 것입니다. 당나라 육군이 어떻게 우리 백제로 오겠습니까? 놈들이 굴을 파 땅속으로 기어오겠습니까? 하늘을 날아서 오겠습니까? 왕자님의 우려는 알겠으나, 이번에는 그 천리안이 틀렸습니다. 팔목구이라던 왕자님도 이제 눈과 귀가 어두워졌나 봅니다."

계백은 가슴이 답답했다. 의자義慈왕의 친동생 왕자 부여의직夫餘義直이 형님에게 고했다.

"왕비마마의 말씀이 옳사옵니다. 옛 가야의 사십여 성과 한수유역 서른세 성을 빼앗긴 신라에게 무슨 힘이 남아있겠사옵니까? 올해가 가기 전에 신라가 대왕께 선처를 바라며 항복을 청하는 표를 올릴 것이옵니다."

계백이 말했다.

"대왕! 속으시면 아니 되옵니다. 신라 왕자 김인문이 부총관이옵니다. 고구려를 치러 간다면 그가 왜 당나라 부총관이 되었겠사옵니까?"

은고가 계백을 노려봤다.

"돌궐의 왕자 계필하력처럼 그자도 당나라의 주구 아닙니까?"

사실 여부에는 관심이 없어진 은고에게 계백과의 대결은 어느덧 자존심 문제였다. 계백은 백제의 앞날이 걱정이었다. 백제는 마치 아이가 한 손에 올려놓은 네 개의 계란 같았다.

"마마, 신라왕이 우이도행군총관이옵니다. 대총관도 아닌 일개 총관이옵니다. 김춘추가 자진해서 그런 굴욕을 겪는 것은 무슨 까닭이겠사옵니까?"

은고가 요사스런 웃음을 터트렸다.

"신라왕 김춘추가 겨우 총관이라고요?"

손으로 머리를 괸 채 의자왕이 은고를 쳐다보았다.

"군대다운 군대가 없는 신라왕이 어찌 대총관이 되겠느냐? 계백아, 피곤하구나. 모두 물러가 쉬어라. 이제 나도 좀 쉬어야겠다."

계백은 의자왕의 이마에 패인 깊은 주름과 성성한 백발을 보았다. 이미 예순이 넘은 의자왕이었다. 의자왕이 내관들의 부축을 받으며 사비궁을 나갔다.

고개를 숙인 채 계백이 머리를 흔들었다. 정녕 이대로 물러나야 하는가. 신하들이 은고의 눈치를 보며 하나둘씩 일어났다. 계백과 은고만이 남았다. 은고를 향해 계백은 눈을 부릅떴고 은고는 그의 눈길을 맞받았다. 계백이 뒤돌아서서 몇 걸음 옮겼다. 은고가 계백의 뒤통수에다 대고 언성을 높였다.

"계백왕자님! 성충과 흥수처럼 유배를 가야 정신을 차리시겠습니까!"

은고의 날카로운 웃음소리가 계백의 뒷덜미를 잡아챘지만 그는 뒤를 돌아보지 않고 사비궁 밖을 나섰다.

계백이 사비성 문을 나설 때 좌평 부여성충과 사택흥수가 유배를 떠나고 있었다. 은고의 소행이었으나 계백은 은고와는 다른 이유로 둘의 유배에 찬성했다. 신라가 탄현을 넘어 공격해 올 것이라는 성충과 흥수의 주장은 그릇된 것이었다.

서쪽 기벌포와 동쪽 탄현은 사비성의 일차 방어선이었다. 더욱이 탄현은 도읍을 사비성으로 정할 때부터 대 신라 방어선으로 설정해 둔 곳이었다. 탄현은 백제군 수백 명이 신라군 수천을 막을 수 있다고 소문난 관문이었다. 신라도 이 사실을 훤히 꿰고 있었다. 탄현은 더 이상 군사기밀이 아니었다. 흥수와 성충이 주장한대로 신라가 탄현을 넘어 공격해올 리 없었다.

계백은 신라군 입장에서 생각해 보았다. 탄현은 돌파하려면 시간이 걸리니 기습작전에는 적합하지 않은 곳이었다. 신라군은 탄현으로는 절대 오지 않을 것이라 계백은 확신했다.

그렇다면, 그래, 거기였다. 신라군은 당군과의 합류가 용이한 그곳으로 올 것이었다. 이 작전은 오래전부터 신라가 치밀하게 준비한 그림임이 분명했다. 색칠은 김유신이 도맡고 있을 터였다. 그 밑그림을 그렸음 직한 인물을 계백은 짐작해보았다. 그 놈이구나! 계백은 강수의 살기 띤 눈빛을 떠올렸다. 계백의 예측대로 강수가 짜 놓은 밑그림이라면 그 채색은 핏빛으로 섬뜩할 것이었다.

사비궁에서 나오는 계백의 뒤를 타로가 바짝 따라붙었다.

"은고가 어찌 나왔습니까? 대왕께서 전쟁 준비를 승낙하셨사옵니까?"

계백의 어두운 안색으로 눈치 챘지만 직접 듣고 싶어 물어본 것이었다. 타로가 한숨을 쉬었다.

"그 여우의 소름끼치는 웃음소리를 들었사옵니다. 사비성 백성들 사이에 백제는 대왕이 둘이라는 소문이 파다하옵니다. 대왕 위에 더 높은 여왕이 있다고도 한답니다요."

타로가 계백의 눈치를 살폈다. 계백은 입술을 깨물고 있었다. 내내 생각에 잠겨있던 계백은 집에 도착해서야 입을 열었다.

"타로 네가 고구려에 좀 다녀와야겠다. 서찰 한 통을 줄 테니 안시성 성주에게 전해라."

"왜 안시성에까지 연락을 취하려 하시옵니까?"

하필이면 안시성으로의 심부름을 시키다니, 타로는 불만이었다. 타로는 안시성에 가기 싫었다. 그곳에는 가비류의 그림자가 있었다. 계백은 타로가 마뜩하지 않아한다는 것을 알았지만 그의 뜻을 굽히지 않았다. 계백이 타로에게 서찰을 건넸다. 서찰을 미리 써둔 것으로 보아 오늘을 예상한 듯했다.

"얼른 채비하고 떠나거라."

타로가 계백을 쳐다봤더니 그 표정이 심각했다. 당나라군은 20만을 넘지 않을 것이었다. 군선을 새로이 건조할 여력이 없어 그 이상의 병력 동원은 무리일 것이었다. 백제는 20만이 넘는 병력을 보유하고 있었다. 원정군이 방어하는 측과 엇비슷한 숫자면 승산은 백제에 있었다. 방비가 조금 늦더라도 계백은 당군과 신라군을 물리칠 자신이 있었다. 그런데 뭔가 허전했다. 그 무엇 하나를 빠트리고 있다는 생각이 자꾸 들었다. 뭘까? 무엇일까? 도무지 떠오르질 않았다. 계백은 답답했다.

타로는 반식경도 안 되어 떠날 채비를 마쳤다. 채비를 서두르는 타로의 머릿속은 온통 빨리 다녀올 생각뿐이었다. 말 두 필을 번갈아가며 타고 바닷길은 그의 선박을 이용하면 되었다.

"쏜살같이 다녀오겠사옵니다."

말발굽이 토해내는 흙먼지 속으로 타로가 사라졌다. 계백은 타로가 보이지 않을 때까지 바라보았다. 이게 석별이 아니기를 바랄 뿐이었다. 계백은 이를 악물었다.

우도와 홍궁이 오천솔을 소집하자고 내대었다.

"왕자님, 이 땅에 사는 한 이 전쟁은 피할 수 없사옵니다."

"그들을 전란에 끌어들여야만 하겠는가?"

"왕자님, 홍궁 이 사람 말이 맞사옵니다. 피할 수 없다면 맞서 싸워야 하옵니다."

"그런가. 그게 저 천명이란 것인가."

계백은 천명을 받아들이기로 했다. 계백은 그의 이름으로 각지에 흩어져있던 오천솔을 소집하기 시작하였다. 오천솔五千率, 말 그대로 오천 명의 사람이었다. 은고와 귀족들은 오천솔을 계백의 가병家兵으로 여겼다. 오천솔은 그들 스스로를 계백의 심복이라 생각했다. 그 어느 때라도 함께할 수 있는 오천솔은 계백에게는 벗이자 동지였다.

오천솔은 계백과 인연이 닿은 사람들이었다. 하나둘씩 모여든 사람들이 어느덧 오천 명이 되었다. 그들과 계백이 만난 사연은 화초의 가짓수만큼이나 다채로웠다. 오천솔에는 백제사람만 있는 것이 아니었다. 고구려인, 왜인, 당인, 심지어 신라인에 저 북방 초원의 돌궐인까지 있었다. 이들은 각지에서 계백의 손과 발이 되고 눈과 귀가 돼주었다. 계백이 팔목구이라는 별명을 갖은 이유였다.

특히 우도, 정나말, 수해須解, 마고麻固, 홍궁은 계백의 최측근들로 천 명을 이끌어 천장仟將이라 불렸다. 계백은 이 다섯 명과 형제에 버금가는 관계를 유지하고 있었다.

오천솔 전원이 참전한 것은 겨우 두 번이었다. 대야성을 공략할 때가 처음이었다. 대야성이 항복하는 바람에 전쟁은 싱겁게 매듭지어졌지만 이 승리로 오천솔은 백제 최강의 부대라는 명성을 얻었다. 계백이 안시성 성주를 도와 당태종을 물리쳤을 때가 두 번째였다. 오천솔, 그들이 이제 나당연합군을 상대하기 위해서 세 번째로 모이고 있었다.

타로가 안시성을 다시 방문했다. 15년 만이었다. 안시성 성주는 타로를 반갑게 맞아주었고, 타로는 성주에게 계백의 서찰을 전했다. 그런데 안시성 성주가 계백의 서찰을 보자마자 타로에게 되돌려주었다.

"읽어 보거라. 네게 쓴 서찰이구나."

타로는 계백의 편지를 읽었다. 백제로 돌아오지 말고 안시성 성주를 따르라는 내용이었다. 계백의 명령이 무엇을 의미하는 것인지, 도무지 영문을 알 수 없는 타로는 혼란스러워했다.

'도대체 왜요? 왕자님.'

마음이 편치 않았고 괴롭기도 했다. 나당연합군과 결전을 앞둔 계백과 오천솔을 두고 혼자서 안시성에 있는 것은 배신 같았다.

주군 계백의 명에 따라 타로가 안시성 성주에게 신하로서의 예를 올렸다. 성주가 타로에게 말했다.

"계백왕자님과는 낙엽 같은 인연이었다. 하지만 그 사람이 있어 이 요동의 찬바람이 차갑게 느껴지지 않았다. 당나라와의 전쟁이 언제 끝날지 모르겠구나. 연개소문 대막리지의 건강이 예전만 못한데.

지난날 계백왕자가 내게 이런 말을 했다. 연개소문이 삼한에서 으뜸가는 위인이고 그 다음이 사택소명, 세 번째가 연정토, 네 번째가 귀실복신, 그 밑이 김유신이라 했다. 이런 말도 덧붙였다. 연개소문이 없었다면 그 동생 연정토가 제일가는 영웅이었을 거라 했다. 그 이유는 오직 연정토 자신만이 알고 있다고 했다."

"그 순서는 왕자님이 성주님의 진면목을 알기 전 이야기입니다요."

"그때 내가 계백왕자에게 말했다. 사람들이 백제 최고의 인물은 계백이고 신라 최고의 인물은 김알천이라 한다고. 그러자 그 사람은 난세에 적합한 인물이 있고 태평성대에 어울리는 인물이 있다고 했다."

타로가 고개를 끄덕이는 동안 성주가 말했다.

"그러면 지금은 난세인지 태평성대인지 그 사람에게 물어봤다. 그 사람은 난세를 만드는 것도, 태평성대를 만드는 것도 사람일 뿐이라 하였다."

문득 무언가가 생각난 듯 안시성 성주가 말했다.

"타로 너와 같이 갈 데가 있구나."

안시성 성주를 따라 타로가 웬 동산에 올랐다. 성주가 세상을 떠나면 잠들게 될 무덤 터였다. 그 터 옆에 호젓하게 딸린무덤이 하나 있었다. 그것은 가비류의 무덤이었다. 15년 전 계백은 가비류의 무덤을 다급히 만들어야 했다. 성주가 그 초라했던 무덤을 이장해놓은 것이다.

묘비가 서 있었다. 왜국출신 백제인 가비류가 안시성 성주를 살리고 고구려를 위해 장렬히 전사했다는 비문이 새겨져 있었다. 타로가 눈물을 글썽였다. 가비류의 혼과 넋이 수천 리 떨어진 백제와 고구려를 잇는 것 같았다. 지난날 계백에게서 느꼈던 그 따스함을 타로는 안시성 성주에게서도 느꼈다.

안시성 성주가 말했다.

"가비류 무덤 옆에 네 무덤을 만들어도 되겠느냐?"

타로가 무릎을 꿇었다.

"광영이옵니다."

풍상 속에 조각났던 가비류와의 인연이 성주로 인해 죽어서는 합쳐질 것이었다. 타로는 목이 메었다. 오래도록 가슴 한켠을 사무치게 했던 가비류였다. 비류, 바람이 불었다. 봄바람이 타로를 향하여 불어왔다.

안시성에는 하루 성주가 있었다. 그녀가 고구려의 어머니 평강처럼 춘풍을 일으키고 있었다. 타로는 지난날의 미련을 그 바람에 실어 보냈다. 타로와 가비류의 조각 난 인연이 바람을 타고 흩어졌다.

안시성 성주가 계백에게 서찰을 썼다.

'당신이 안시성에 다시 오기가 쉽지 않다는 것을 알았습니다. 그대가 만들었다는 물시계를 하나 보내주십시오. 그 시계를 간직하고 싶습니다. 시간은 언제나 하나일 테지요. 금마저의 시간이 흘러가면 안시성의 시간도 같이 흐르겠지요. 그 시간의 끝에서나마 우리 둘이 다시 만날 수 있기를 바랍니다. 안시성 성주 양만춘.'

이 서찰을 가져가는 심부름꾼이 보이지 않을 때까지 안시성 성주는 계백의 안녕을 빌었다. 타로는 남쪽 하늘을 바라보며 계백과 오천솔의 무운을 빌었다.

*

당나라 산동에서 출발한 선단이 동쪽으로 이동하기 시작했다.

수천 척 군선이 고래 떼처럼 무리를 지어 바다를 항해했다. 선단은 당나라군 13만 5천을 태우고 있었다. 당나라군은 일단 덕물도에 상륙한 다음 북쪽으로 고구려를 공격하는 척하다가 남쪽으로 백제를 공격할 속셈이었다.

계백의 예상대로 김유신은 서쪽 탄현은 거들떠보지도 않았다. 신라군의 말머리는 북쪽을 향했다. 고구려를 공격하는 것처럼 보이려는 계략이었다. 북상하던 신라군은 일단 남천정[5]에서 당군이 덕물도에 상륙하기를 기다렸다.

남천정에서 이제나 저제나 당군을 기다리는 무열왕은 속이 타들어갔다.

"아직도 안 왔느냐? 왜 소식이 없는 것이냐? 답답해 미치겠구나. 네가 가봐라."

무열왕은 태자를 덕물도까지 마중을 보냈다. 신라군에게서 물길을 안내받아 당나라 수군이 백제의 뭍에 첫발을 디뎠다. 덕물도에 무사히 상륙한 당나라군을 본 신라태자는 안도했다. 당나라군 총사령관 소정방도 마음을 놓았다. 당나라가 내심 우려했던 신라의 배신은 없었다.

신라태자가 말했다.

"우리 대왕께서는 당군을 목마르게 기다리고 계셨사옵니다. 대총관께서

도착했다는 소식을 들으시면 만사를 제치고 달려오실 것이옵니다."

소정방은 신라태자의 저자세에 어깨가 우쭐했다. 강수의 삼개년 대작전이 당나라를 농락한 것이었다면 소정방은 이미 죽은 목숨이었다. 13만 5천 당나라군 또한 고구려, 백제, 신라의 협공으로 몰살당했을 것이다.

대총관 소정방이 신라태자에게 시간과 장소를 통보했다.

"작전개시일은 칠월 십일이고 장소는 사비수 갓개이다. 거기서 합류해 사비성을 향해 같이 진군할 것이다. 칠월 십일, 사비수 갓개, 명심해라."

신라태자가 덕물도에서 남천정으로 돌아왔다. 무열왕이 막 식사를 하려던 참이었다. 태자가 보고 들은 대로 무열왕에게 보고했다. 곧바로 숟가락을 내려놓을 정도로 무열왕은 흡족해했다. 그는 곧장 말에 올라 의젓하게 말을 몰아가며 당당하게 군영을 누볐다. 무열왕은 스스로한테 뿌듯했다. 말을 타고 다니려 체중을 감량한 보람이 있었다. 그는 끓어오르는 벅찬 가슴으로 말을 달렸다.

"드디어 때가 왔노라. 이 순간을 얼마나 기다렸던가. 어서 가서 그 기분 나쁜 사비성의 붉은 성벽을 허물어버려라. 사비성을 짓밟아 망령의 성으로 만들겠노라."

무열왕은 말 등에서 궁리를 했다. 명색이 일국의 국왕인데 일개 총관으로 임명된 그였다. 대총관 소정방의 지휘를 받기 싫었고 혹시 모를 당나라의 변심에도 대비해야 했다. 전쟁은 피아가 뒤섞이기 마련이었다. 무열왕은 이선으로 물러나고 김유신을 앞세우기로 했다. 무열왕이 김유신과 신라군을 향해 선언했다.

"모두 들어라. 국경 밖에서는 대장군 김유신이 나대신 상벌권을 행사한

5) 南川停. 경기도 이천.

다! 알겠느냐?"

김유신을 독려하고자 내린 조치가 아니었다. 무열왕은 김유신이 그의 명을 받는 신하임을 신라군에게 각인시키고 싶었다. 그는 김유신마저 전적으로 신뢰하지 않았다. 전장은 배신과 반역이 난무하는 곳이었다.

김유신은 무열왕에게 자신 있게 대답했다.

"대왕의 명을 받들어 백제를 멸하고 오겠나이다."

무열왕의 환송을 받은 김유신은 곧장 전장으로 가지 않았다. 목욕재계하고 사찰을 찾아가 영실로 들어갔다. 문을 굳게 닫고 향을 피우는 대장군 김유신의 행보에 신라군은 어이없어했다. 사흘 뒤 김유신이 묵상을 마치고 나오자 신라군은 황당해하며 그를 바라볼 뿐이었다. 김유신은 아랑곳하지 않고 군사들에게 말했다.

"마침내 나는 우리 신라의 승리라는 신의 계시를 받았다."

김유신은 신을 들먹인 것은 신라군의 사기를 돋우기 위해서였다. 신라군은 두려워하고 있었다. 눈썰미와 상관없이 신라군은 전세가 만만치 않다는 것쯤은 이미 꿰고 있었다.

무열왕이 이끄는 5만의 예비 병력은 공격이 아닌 최후의 방어전에 대비했다. 김유신이 거느린 5만 군사가 패퇴한다면 금돌성이 신라 최후의 보루가 될 것이었다. 강수의 복안이었다.

사비성으로 향하는 신라군의 다리는 무거웠다. 그런데 백제군은 신라군의 진군을 가로막지 않고 있었다. 신라군이 전후좌우를 둘러봐도 백제군은 보이지 않았다.

"어라, 놈들이 통 보이지가 않네. 이놈들이 다 어디로 간 거야?"

강수가 킬킬거리자 김유신이 따라 웃었다. 백제의 무방비에 신라군은 웃었고 그들의 사기는 오르기 시작했다.

660년 초가을, 때늦은 황사가 해풍을 타고 넘어와 백제 땅에 내려앉기 시작했다. 머지않아 사비성은 누런 흙먼지로 뒤덮일 것이었다.

9. 누가 이 아이들을 죽였나

신라군은 북진이 아닌 남진을 하고 있었다. 비로소 백제는 당나라와 신라의 사냥감이 북쪽 고구려가 아님을 똑똑히 알았다. 신라가 탄현을 공격할 것이라 주장했던 부여성충과 사택흥수는 수치심에 입술을 깨물었다. 침묵하는 이들이 많아 사비궁 안팎은 시끄럽지 않았다.

사비궁으로 벼슬아치들이 속속 몰려들었다. 김유신과 밀약을 한 사택임자가 부여충상, 흑치상영을 불러 응달진 사비궁 구석에서 쑥덕쑥덕했다. 의자왕의 동생 좌평 부여의직夫餘義直이 서둘러 대책을 내놓았다. 그는 실책을 만회하고 싶어 했다.

"대왕, 신라는 우리에게 자주 패한 터라 아직 우리를 두려워하옵니다. 먼저 신라군을 쳐야 하옵니다. 길잡이 노릇하는 신라군 없이 당군이 홀로 싸우겠사옵니까? 소정방은 일이 틀어졌다 여겨 곧바로 물러갈 것이옵니다."

달솔 흑치상영黑齒常永이 부여의직의 의견에 반박했다.

"아니옵나이다. 대왕, 먼 길을 온 당나라군은 피로하옵니다. 지친 당군을 먼저 쳐야하나이다. 배에 타고 있는 당군 반 정도가 뭍에 내렸을 때 공격하면 승리는 우리 것이옵나이다. 당군을 물리치면 동시에 신라군까지 물리치는 것이옵나이다."

벼슬아치들의 의견은 두 패로 나뉘었다. 이 말도 맞고 저 말도 틀리지 않았다. 이제 용단은 의자왕의 몫이었다.

"둘 다 막는다."

의자왕의 눈치를 살피며 사택임자가 물었다.

"그러면 지휘는 누가 누가 하는 것이옵나이까?"

의자왕이 명을 내렸다.

"당군은 좌평 부여의직이 맡아라."

의자왕은 백제군 2만의 지휘를 친동생인 부여의직에게 맡겼다. 경계심이 작용한 탓이었다. 일이 이 지경이 된 데는 백제조정에 신라와 내통하는 자가 있음이었다. 의자왕은 누구를 믿어야 할지 혼란스러웠다. 그나마 핏줄이 나을 테지만 그조차도 전적으로 신뢰하진 못했다. 신라군을 먼저 치자던 부여의직을 당군과 대적하게 했다. 경계심과 위기감 속에 의자왕은 판단력이 흔들리고 있었다. 은고가 의자왕에게 나지막이 물었다.

"그럼, 신라는 누가 맡사옵니까?"

의자왕이 고개를 쳐들었다가 숙였다. 머릿속에 딱히 떠오르는 사람이 없었다. 의자왕은 생각에 빠져들었고 신하들은 의자왕의 입만 바라보았다. 신라군이 시시각각 다가오고 있었다. 상념에 잠겨있던 의자왕이 탁자를 내리쳤다.

"계백. 그래, 계백이다."

조정을 떠나있던 계백은 믿을 만했다. 의자왕의 결단에 신하들이 벌떼같이 일어나 반대했다. 먼저 사택임자가 입을 열었다.

"계백왕자의 모친과 부인은 신라인이옵니다. 군사들이 그의 명을 따를지 우려되나이다."

상좌평 사택천복이 의자왕에게 아뢰었다.

"웅진 방령 예식진이 어떠하시나이까?"

사택천복은 그의 목장 서른 개를 꿀꺽해버린 예식진에게 악감정을 갖고 있었다. 그의 주청에는 예식진이 전쟁터에서 전사하길 바라는 속내가 숨어있었다. 신하들의 반대에 의자왕이 불같이 화를 냈다.

"계백이 성충과 흥수의 어리석음을 지적했을 때를 기억하지 못하느냐? 계백보다 더 잘 싸울 수 있는 장수가 있기는 하고? 계백은 내 동생이기도 하지만 강직하기 이를 데 없다. 그는 배신이라는 걸 모른다."

신하들은 극도로 날카로워진 의자왕의 심기를 건드리지 않기로 했다. 불쑥 은고가 끼어들었다.

"영명하신 판단이오시나, 그의 처가 신라인인 게 걸리옵니다. 계백왕자에게 군대를 이끌고 싶으면 그의 처자를 죽이라 명하소서."

"굳이 그럴 필요 없소."

의자왕이 알고 있는 계백의 마음은 응달진 구석이 없었다. 은고가 눈을 치떴다.

"지금이 어느 때이옵니까? 전시이옵니다. 전시! 내부의 적 하나가 전쟁의 승패를 좌우하는 법이옵니다. 신라는 우리의 적입니다. 적!"

은고는 장군의 인사권에도 참견하고 나섰다.

"계백에게 군사를 많이 내주면 아니 되시옵니다. 그에겐 오천솔이 있지 않사옵니까? 아니, 아니지요. 그래도 불안하니 좌평 부여충상夫餘忠常과 달솔 흑치상영을 좌장과 독군으로 삼아 그를 감시해야 할 것이옵니다. 아참, 계백이 왕자랍시고 그들의 말을 무시할 수도 있잖사옵니까. 계백에게 달솔벼슬을 되돌려주고 달솔 상영을 좌평으로 승진시키면, 상영은 계백을 독려하며 열심히 싸울 것이옵니다. 그리고 부여의직 왕자에게는 사비수에 진을 쳐서 사비성을 지키라 명하십시오."

의자왕은 은고의 직언에 솔깃했다. 당나라군부터 끝장내자던 흑치상영을 신라군과 싸우게 하자는 방안에도 마음이 쏠렸다. 의자왕이 서서히 고개를 주억거렸다. 계백의 처자를 죽여야 한다는 은고의 주장까지 먹힌 셈이었다.

사비궁을 나서서 사택임자, 부여충상, 흑치상영이 밀담을 수군거렸다.

사비궁 안에서 계백의 이름이 거론되고 있을 즈음이었다. 계백은 서찰한 통을 손에 쥐고 있었다. 정나말이 계백에게 손을 내밀었다.

"무슨 내용인지 읽어는 봐야 하지 않겠사옵니까. 제가라도 읽겠사옵니다."

"정나말, 그대가 글을 깨우쳤는가?"

우도가 웃으며 끼어들었다.

"쓸 줄은 모르고 읽을 줄만 안다고 하옵니다."

정나말이 우도에게 말했다.

"무시하지 마시오. 짧은 글은 쓸 줄 아오. 작은 왕자님에게 배웠다고 요."

계백이 정나말에게 서찰을 건네주었다. 정나말이 서찰을 펼치고 읽어 내려갔다.

'오랜만입니다. 계백왕자님.

이미 꿰고 계실 테지만, 인사차 알려드립니다. 머지않아 신라와 백제가 한 판 승부를 벌입니다. 그때 왕자님을 뵐 것 같아 미리 서찰을 보내는 것입니다. 저는 왕자님께 붓을 돌려드리려 가는 중입니다. 왕자님이 준 붓으로 이 글을 쓰고 있습니다.

팔목구이 왕자님이시니 우리가 재회할 장소는 아실 것입니다. 저를 기다리는 것이 죽음이라 해도 왕자님과 겨뤄보고 싶습니다. 제 일생일대의 소망입니다. 저와 왕자님, 둘 중 하나는 죽어야 할 것입니다.

저와 김유신의 목을 베고 싶으시면 곧장 서라벌로 가십시오. 금돌성에 있는 신라왕보다 먼저 서라벌에 도착하면 신라는 그대의 것입니다. 군사를 대동할 필요도 없을 것입니다. 혼자 가셔도 서라벌 사람들은 성문을 활짝 열어 그대를 왕으로 섬길 것입니다. 성군이 될 그대를 위하여 제 뼈를 그 땅에 묻겠습니다.

소머리 임나인 강수.'

정나말이 서찰을 쫙쫙 찢어 버렸다. 바닥에 널린 종이 쪼가리를 짓밟아 뭉개며 욕을 퍼부었다.

"미친 놈! 이 정신 나간 놈!"

우도가 말했다.

"정나말, 이 사람아, 같잖은 격장지계에 화를 내다니. 그러게 읽어볼 필요가 없다고 하지 않든가."

정나말은 동요했던 마음을 애써 가라앉혔다. 그의 눈에 보이는 계백과 우도는 평정심을 잃지 않고 있었다. 강수가 서라벌을 차지하라고 한 것은 공격이 최선의 방어가 아니냐는 그럴 듯한 속임수였다. 평상시라면 맞을 테지만 지금 서라벌에는 신라왕이 없었다. 전쟁은 왕한테서 항복을 받아야 끝나는 것이었다.

금마저 계백의 집으로 사비궁의 통첩이 날아들었다. 신라군과 싸우고 싶으면 전장으로 나가기 전에 처자식을 죽이라는 내용이었다. 통첩을 받아든 계백은 망연자실했고 오천솔은 주먹을 부들부들 떨었다.

통첩 소식을 전해들은 백성들이 계백의 집 주위에 몰려들었다. 백성들이 저마다 한마디씩 내뱉으며 발을 동동거렸다.

"우리나라에서 제일가는 명장 계백이 오천솔과 함께 외적을 물리치겠다는데, 무슨 조건이 필요하다는 거야, 대체!"

백성들은 사비성에서 내려온 통첩을 도무지 이해할 수가 없었다. 신라군과 싸우지 말라는 얘기랑 똑같이 들렸다. 백성들과 매한가지로 오천솔도 터무니없는 통보에 한마디씩 했다.

"뭔 말도 안 되는 소린가? 처자식을 죽여 가며 신라를 이겨봤자 뭐하겠어."

"그러게 말일세. 계백왕자님이 정말 안됐네. 나라면 확 신라 편에 붙겠구먼."

"말을 좀 가려서 해. 우리 왕자님이 어디 그럴 분이셔?"

"그건 그렇지. 가만, 왕자님이 출전을 안 하겠다고 하시면, 어떻게 되는 거지?"

사비궁의 통첩을 놓고 다들 쑥덕거렸다. 사비궁의 처사에 계백이 출전하지 않겠다 해도 그를 탓하지 못했다. 백성들은 그들이 나서서라도 계백을 만류하고 싶어 했다. 그러면서도 계백과 오천솔이 출전하지 않을 경우가 걱정됐다.

신라는 당나라와 한 편이 돼서 장기판을 졸로 가득 채웠는데, 백제는 자진해서 차 하나를 빼고 병을 줄이고 장기를 두어야 할 판이었다. 이렇듯 생게망게한 장기 마당에 백성들은 하늘만 올려다보았다.

*

660년 음력 7월 8일, 계백의 아내 아라가 두 아들과 함께 다과상 앞에 앉아있었다. 상에는 술병과 잔 세 개가 놓여 있었다. 문을 열고 계백이 방 안으로 들어왔다. 선 채로 계백은 처자를 똑바로 쳐다보지도 못했다. 계백이 차마 입을 열지도 못하자 아라가 먼저 말을 꺼냈다.

"나가 싸우십시오. 백제를 지키십시오. 제가 신라인이기에 조정에서 출전을 불허한다고 들었습니다. 임의 사랑을 간직하고 이 자리에서 목숨을 끊겠습니다. 이 아이들은 제가 저세상에서 돌보겠습니다. 그대를 처음 뵈었을 때부터 제 마음과 생명은 그대 것이었습니다."

계백의 눈에 끝내 참았던 눈물이 고여 들었다.

"왜 처자를 죽이라 하는가! 내가 왜 신라와 싸워야 하는가?"

아라가 말했다.

"제가 답을 드립니다."

계백이 세차게 고개를 저었다.

"애들을 데리고 신라로 가시오. 신라가 당신과 이 아이들을 박대하지는 않을 것이오."

열네 살 난 첫째 아들 문우가 말했다. 그가 열다섯 살이었으면 창칼을 들고 아버지 계백을 따라 전장으로 나갈 수 있었다.

"아버님, 우리는 백제인이옵니다. 차라리 어머님을 따라 죽겠사옵니다. 아버님, 어서 떠나시옵소서. 백제를 지켜주십시오."

"형님 말이 맞사옵니다."

문효가 형 문우를 거들고 나섰다. 그는 올해 열두 살이었다.

"여기 대장기에 제가 감히 아버님의 존함을 썼사옵니다. 이 깃발을 앞세우고 싸우시옵소서. 저희들이 열다섯 살이 안 돼 아버님을 따라 전장으로 나가지 못하는 게 안타까울 따름입니다."

문우가 대장기를 펼쳐보였다. 대장기 뒷면에는 문효가 세상에 남기고 싶었던 말도 씌어 있었다. 문우가 동생 문효가 쓴 글을 읽어 내려갔다.

해와 달이 이 땅에서 서로 어울려

하늘이 왕자 계백을 내려주셨다.

신라와 백제는
두 별의 사랑을 잊지 말아다오.

地上日月相交
天授王子階伯.
汝新羅與百濟
勿忘二星至愛.

태양은 '구지'의 나라 백제를, 달은 신라를 상징했다. 이 땅에서 한데 어
울린 해와 달은 무왕과 선화공주를 가리켰다. 소년 문효는 할아버지와 할
머니의 사랑을 살아남은 이들이 언제까지나 간직해주기를 바랐다. 어린
아들들이 아버지를 설득하고 있었다. 계백은 용단을 내려야 했다. 눈시울
을 붉힌 계백이 고개를 돌렸다. 아라가 술병에 든 독을 잔에 따랐다.

"부친께서 어린 제게 해준 말씀이 있사옵니다. '세상 만물을 사랑하면
이 세상이 모두 네 것이 된다. 세상을 증오하면 세상 모든 것이 다 너의
적이 된다.'

제가 백제에서 살아갈 수 있는 힘이었고, 임과 함께하고자 한 소망의 불
씨가 돼주었던 말씀이옵니다. 제가 없더라도 세상 모든 것을 아끼고 사
랑해주십시오. 세상은 아름답습니다. 백제 땅은 그대만큼이나 멋있고 신
라 땅처럼 아름답습니다. 이 땅에서 내일을 살아갈 수 없는 이 아이들한
텐 정말 미안합니다. 다음 생에선 적국이 아닌 한 나라에서 태어나 그대
와 해로하고 싶사옵니다. 마지막으로 당부할 게 있사옵니다. 제가 죽거든

제 눈을 감기지 말아주십시오. 죽어도 눈을 감지 않고 그대의 개선을 지켜보겠습니다."

"아라, 마노라."

"옛날이야기를 들려주던 그대의 품에서 죽을 수 있어 행복합니다."

계백이 아라와 두 아들을 바라보았다. 세 사람도 계백을 보았다. 그렇게 넷은 서로에게 작별을 고했다. 아라는 두 아들에게 먼저 약을 먹였다. 쓰러진 아들들을 품에 안고 아라도 약을 마셨다. 어머니 품에 안겨 죽은 아들들은 평온한 얼굴이었다. 두 아들을 가슴에 안은 아라도 그러했다. 계백은 아라의 유언대로 셋의 눈을 감기지 않았다. 그는 처자의 최후를 가슴 깊이 묻었다.

계백이 방문을 박차고 나갔다. 말을 타고서 금마저를 돌고 또 돌았다. 계백이 무왕과 선화공주 쌍릉 앞에 우두커니 섰다. 눈을 감고 고개를 숙였다. 고개를 쳐든 그가 북쪽 사비성을 향해 돌아섰다. 계백이 외마디 신음을 토해냈다.

"은고!"

멀리서 계백을 지켜보던 수묘인 박박㼈㼈이 그에게 다가갔다. 박박은 계백에게 그 어떤 위로의 말도 건네지 못했고 계백도 아무 말도 하지 않았다. 계백이 떠난 쌍릉 앞에 꿇어앉은 박박은 일어날 줄을 몰랐다. 계백이 그에게 준 신라의 칼이라 불리는 명검을 움켜쥔 채였다.

계백이 처자를 죽였다는 소식이 사비궁에 전해졌다. 의자왕은 가슴을 짓찧으며 출전명령을 내렸다. 만면에 화색을 밝힌 은고가 의자왕을 떨쳐

름하게 바라봤다.

사저로 돌아온 계백은 의자왕에게 출사표를 올렸다.

'아우 계백이 삼가 형님께 글을 올리옵니다.

열흘이면 지방에 있는 군사들이 사비성으로 몰려올 것이옵니다. 또 열흘이 지나면 백성들이 들고 일어설 것이옵니다. 한 달 안에 고구려가 우리 백제를 구원하러 올 것이옵니다. 형님, 절대로 항복해서는 아니 되옵니다. 열흘만 참으시면 되옵니다.

대왕께서 친히 당군을 직접 상대하실 필요 없사옵니다. 황산벌에서 제 승전보가 전해지거든 대총관 소정방에게 사자를 보내어 시간을 끄시옵소서.

김춘추와 달리 형님께서는 백성들에게 선정을 베풀고 계시옵니다. 반은 신라인인 제가 처자식까지 죽여 가며 신라와 싸우는 것은 바로 이 때문이옵니다. 다른 하나는 아버님께서 꿈에 선대왕을 뵙고 낳은 저에게 '계백'이라는 분에 넘치는 이름을 주셨기 때문이옵니다. 황공하게도 제가 무령대왕님의 기백과 성명대왕님의 슬기를 물려받았다 하셨사옵니다. 또 왜의 성덕태자聖德太子처럼 제가 선대왕을 닮아 마치 그분을 다시 뵙는 거 같다고 하셨사옵니다.

그러니 저는 백제의 적과 싸우겠사옵니다. 그 적이 모국인 신라라 하더라도 싸우겠사옵니다. 형님께서 영원한 해동의 증자로 남으시길 바라나이다.

백제국 왕자 승升 배상.'

오천솔은 삼삼오오 무리지어 계백의 사택 안팎에 흩어져 있었다. 낡은 갑옷을 입고 손에 무기를 든 채 그들은 묵묵히 계백을 기다렸다. 아라, 문우와 문효의 죽음을 뒤로하고 계백이 나타났다.

"왕자님!"

오천솔이 계백을 빙 둘러 에워 쌓다. 그들은 말없이 그냥 얼굴 표정만으로 계백에게 애도를 표했다. 큰 소리로 계백이 오천솔들을 불렀다.

"오천솔아!"

"예!"

계백은 두 눈을 부릅떴다.

"그대들의 절반은 백제인이 아니다. 작금의 사태는 백제 왕가와 신라 왕가 사이에 앙금이 쌓여 일어난 싸움일 뿐이다. 그대들은 이 집안싸움에 말려들 필요가 없다. 이 앙금은 나와 백제 사람들이 풀 것이다. 백제인이 아닌 이들은 당장 고향으로 돌아가라!"

오천솔 사이에서 작은 술렁임이 일었다. 술렁임은 다름 아닌 금마저 주민들의 울음 소리였다. 주민들이 소리 죽여 흐느꼈다. 계백의 입에서 피가 흘렀다. 주민들은 처자의 죽음으로 인한 계백의 심경을 헤아리고 슬픔을 가누지 못했다.

신라 출신 오천솔 수해須解가 계백 앞에 무릎을 꿇었다.

"왕자님, 제 피와 살은 이미 백제의 것이옵니다. 백제가 제 몸의 고향이옵니다."

"고맙구나. 그대들과 함께 나는 백제를 지킬 것이다."

오천솔은 계백을 믿었다. 그들은 북극성을 보고 북쪽으로 가듯 계백이라는 이름을 믿고 따랐다. 그러면서도 일말의 의구심은 있었다. 계백왕자가 과연 5만이나 되는 신라군을 이길 수 있을까. 어떻게 막아낼까. 그들은 궁금했지만 계백에게 묻지 않았다. 오천솔은 계백이 이미 만반의 준비를 해놓았을 것이라 믿었다. 믿음을 어긴 적이 없는 그의 이름은 계백이었다.

오천솔이 대오를 갖추어 행군했다. 오래지 않아 계백과 오천솔이 가는 길에 흙먼지가 휘돌았다.

"왕자님! 계백왕자님!"

흙먼지 속에서 계백을 불러 세우는 소리가 들렸다. 부여충상과 흑치상영이 서른 남짓한 사람을 데리고 계백 앞에 나타났다.

"대왕께서 달솔 상영을 왕자님의 좌장으로 임명하셨사옵니다. 저는 군사들을 감독하는 독군 자격으로 왔습니다."

흑치상영이 부여충상에게 목소리를 높였다.

"저도 좌평입니다. 좌평!"

흑치상영은 전장에 투입되면서 그가 좌평 벼슬에 올랐다는 걸 새삼 강조했다. 흑치상영을 뚫어지게 바라보던 계백이 말했다.

"대왕께서 그대들을 보내시진 않으셨을 테고, 그 여인이 보낸 것인가?"

흑치상영은 손사래를 쳤으나 계백이 형형한 눈빛으로 그를 노려보자 이내 손을 거두었다. 은고가 지금까지의 일과 장군들의 출전명단에도 참견했다고 실토했다. 부여충상이 말했다.

"왕자님, 여기 대왕께서 하사하신 물건이 있습니다."

부여충상을 따라온 그의 사병들이 계백 앞에 궤를 내려놓았다. 관만 한 크기의 궤짝에는 순금이 입혀져 있었고 백제왕가의 상징인 매 문양이 은으로 덧대어져 있었다. 이 궤의 정체를 계백은 알고 있었다.

부여충상은 군자금으로 쓸 황금과 보옥일 거라 지레짐작했다.

"대왕께서 왕자님과 오천솔을 격려하려 황금을 하사하신 듯싶습니다. 제가 열겠습니다."

부여충상이 궤의 뚜껑을 열었다. 계백을 제외한 모든 이들이 일제히 궤짝 안의 내용물을 들여다보았다. 궤 안에는 밤하늘보다 더 새카만 갑옷이 들어있었다. 세상이 온통 뒤바뀐 듯, 새하얀 하늘의 검은 별처럼 갑옷이 빛났다. 갑옷의 흑칠이 세상의 모든 빛을 빨아들였다 다시 뿜어내는 듯 반짝였다. 검은색이 이토록 찬연히 빛날 수 있는지, 사람들은 벌어진 입을 다물지 못했다. 부여충상의 입에서 탄성이 새어나왔다.

"명광개!"

부여충상이 얼른 제 입을 막았다. 나머지 사람들이 놀란 것은 휘황한 검은 빛 탓이었지 갑옷 때문이 아니었다. 부여충상의 가병들이 입을 비죽거렸다.

"에계계, 겨우 갑옷 한 벌이야?"

명광개는 미늘을 물고기 비늘처럼 얇게 펴 여러 겹으로 엮은 갑옷이었다. 화살이 얇은 종이 여러 겹을 뚫지 못하듯이 명광개는 금강석만큼 튼튼한 철갑이었다. 제작이 어렵고 섬세한 만큼 왕실 보물 중에서도 으뜸이었다.

의자왕이 계백에게 명광개를 보낸 것은 아우의 안위를 걱정해서였다.

그리고 그 몸을 보전하여 전리품 하나를 가져오라는 것이었다. 신라왕 김
춘추의 목을 백제 신궁에 바치라는 하명이었다.

10. 반역자

흑치상영은 계백이 말해줄 때까지 기다릴 수가 없었다.

"신라군이 어디로 쳐들어오겠습니까? 아무리 왕자님이라도 군율을 감독하는 제게는 전략을 말씀해주셔야지 않습니까?"

독군 흑치상영은 군기와 군율을 감독했다. 계백은 그에게 전략을 터놓아야 했다.

"황산벌이다."

"황산벌? 왜 그리 생각하시는 겁니까?"

좌평 부여충상이 달솔 계백에게 물었다. 통솔권한은 계백이 갖고 있지만 부여충상은 그보다 상급자였다. 계백은 부여충상에게 작전 구상을 터놓았다.

"신라군의 일차 작전목표는 당군과의 합류다. 만약 우리가 작은 산성에서 웅거하면 신라군은 성을 우회해버린다. 그래서 우린 그들의 행군로에서 기다리다가 그들을 막아야 한다. 그곳이 바로 황산벌이다."

계백은 당군과 신라군의 행군로를 파악하고 있었다. 서쪽에는 소정방, 동쪽 금돌성에는 무열왕이 있었다. 북쪽에서 남진해온 신라군은 황산벌을 지나 '사비수 갓개'에서 당군과 합류할 예정이었다. 당군과 신라군의 포진과 행군로는 의자왕을 사비성에 자연스레 가두는 것이었다.

계백이 황산벌에서 신라군의 행진을 막겠다고 하자 부여충상이 반론을 제기하고 나섰다.

"적은 우리의 열 배입니다. 우리를 포위해서 공격할 수도 있는 숫자입니다."

5천 대 5만, 오천솔 한 사람이 신라군 열 명과 맞붙어야 했다. 열 배라는 숫자는 결코 가볍지 않았다. 계백이 말했다.

"수가 많다는 것을 역이용하면 된다. 황산벌의 북쪽과 남쪽에는 하천이 흐른다. 전쟁터는 하천과 하천 사이로 한정되니 걱정할 거 없다."

잦은 외유 덕분에 계백은 지형과 지리에 밝았다.

"우리는 오천, 적은 오만 대군이다. 쉽진 않지만 불가능하지도 않다. 넉넉잡아 열흘만 신라군을 저지하면 우리가 승리하기 때문이다. 당군과 신라군이 합류하지 못하도록 하는 게 우리 임무다. 약속했던 신라군이 보이지 않으면 당나라는 신라를 의심하게 된다. 신라군으로 위장한 아군이 소정방에게 거짓 정보를 흘리도록 해두었다."

흑치상영은 고개를 끄덕이지 않았다.

"그것은 머릿속 방어책에 불과하니, 여기 황산벌서 싸울 직접적인 방법은 무엇입니까?"

자신이 있었지만 계백에게도 일말의 불안감은 있었다. 계백은 장수들의 사기를 끌어올리는 것도 중요하다고 생각했다.

"우리는 다음 이유로 반드시 이긴다.

첫째, 병력이 많은 쪽이 적은 쪽보다 유리한 것은 분명하다. 하지만 신라는 그 유리함을 잘 살리지 못할 것이다. 오만 대군은 느린 데다 그 움직임을 감추기 어렵다. 김유신을 비롯한 신라의 그 누구도 오만 대군을 지휘해본 적이 없다. 부여충상 좌장군은 오만 대군을 지휘할 수 있겠소?"

부여충상이 고개를 저었다. 계백이 말했다.

"둘째, 신라 땅은 백제보다 평원이 적다. 그래서 신라군은 노병일지라도 평지에서의 회전 경험이 많지 않다. 또 하나, 우리의 태반은 기병인데, 회전에서 기병 하나는 보병 열에 필적한다. 그리고 우리 오천솔의 전투력은 여기 있는 누구나 인정하듯 최고지 않은가."

장수들은 불끈 힘이 솟았다.

"과연 왕자님이십니다."

흑치상영은 쉽사리 수긍하지 않고 의문을 제기했다.

"왕자님께서 마련한 포석은 조금 알겠습니다만, 어떻게 싸워야 할진 아직도 잘 모르겠습니다."

계백이 말했다.

"수비만 하면 우리가 불리하다. 오만을 방어하기에는 아군이 너무 적기 때문이다. 오천에 불과한 우리가 기동력을 살려 능동적으로 움직이면 오만 신라군을 얼마든지 공격할 수 있다. 요는 선제공격을 가해야 한다는 것이다. 선공이 싸움의 주도권을 우리가 잡을 수 있는 방법이다."

계백의 시선이 좌중을 휘어잡았다. 얼굴이 활짝 펴진 장수들이 입을 모아 계백을 칭송했다.

"과연, 당태종을 물리친 분답사옵니다. 신라군을 물리칠 자신이 생겼사옵니다."

막사 밖이 시끌시끌했다.

"왕자님, 가져왔사옵니다."

그를 부르는 소리를 듣고 계백이 밖으로 나갔다. 몇몇 오천솔이 묵직한 자루를 들고 와 막사 앞에 내려놓았다. 부여충상과 흑치상영은 무슨 영문인지 몰랐다. 계백이 말했다.

"자루를 풀어 모두에게 나눠주어라."

자루에 담겨 있던 것은 어린애 주먹만 한 금덩어리였다. 전장에서 황금의 용도는 뻔했다. 정나말이 지레짐작하고 화를 냈다.

"우리 오천솔이 황금을 바라고 왕자님을 따르는 게."

계백이 정나말의 말을 잘랐다.

"오해하지 말라. 이 황금은 적에게 던져줄 거다."

"김유신과 신라 장군들한테 뇌물을 주신다고요?"

다들 깜짝 놀랐다. 부여충상과 흑치상영이 서로 눈빛을 주고받는 사이 계백이 고개를 가로저었다.

"모두 이 금덩어리 하나씩을 몸에 지니고 있다가, 신라군의 전열을 흐트러뜨리는 용도로 써먹어라. 먼저 황금을 차지하려 들다보면 대오가 무너질 것이다. 또 너희들의 목숨이 경각에 달렸을 때 적에게 던져라. 공짜 싫어하는 사람 없듯이 신라군도 그러할 것이다."

서서히 오천솔이 고개를 끄덕였다.

"오천솔아 명심해라! 황금은 딱 한 번만 효과를 볼 수 있다."

계백은 말을 끊었다. 다른 말은 차마 꺼내지 못했다. 패할 듯싶으면 이 황금으로 목숨을 부지하거나 황산벌에서 달아나라, 이렇게 말할 수는 없었다. 오천솔의 목숨은 살리고 싶었지만 결전을 앞두고 있었다. 오천솔의 사기를 미리감치 떨어트려서는 안 될 일이었다.

황등야산군에 속한 황산벌은 은고 소유의 목장이었다. 아니, 탁 트인 황산벌의 주인은 인간이 아니었다. 천년을 산다는 아름드리나무도 이 땅의 주인이 아니었다. 생명력 넘치는 푸른 풀과 그 풀을 뜯어먹고 사는 숨탄것들이 황산벌의 임자였다. 오늘은 계백과 오천솔이 풀과 마소의 터전을 잠시 빌린 셈이었다.

황산벌은 신화 속 거인이 남긴 발자국처럼 울퉁불퉁 패인 채 한갓졌다. 높은 물마루가 휩쓸고 간 뒤 청청함만이 남아있는 잔잔한 바다 같았다. 660년 7월 9일 늦더위가 한창인 황산벌 대지 곳곳에 초록이 깊이 배어있었다. 하늘과 조화를 이뤄 대지는 더없이 싱그러웠고 아침햇살 사이사이에는 선선한 바람이 배어있었다. 황산벌을 스치는 아침 바람이 깃털처럼 가벼웠다. 밤새 이슬을 머금은 황산벌의 풀잎들은 꼿꼿하고 푸르렀다. 오만 대군과 맞서려는 계백과 오천솔의 용기처럼.

계백과 오천솔은 목장의 통나무 울타리를 뽑아 황산벌 낮은 언덕 세 곳에 진지를 구축했다. 나무그늘 아래서 오천솔은 배를 든든히 채웠다. 그들은 풀밭에 누워 하늘높이 떠가는 구름을 감상했다. 구름은 물속을 헤엄치는 대어처럼 유유히 흘러가고 있었다. 조각구름은 끼지 않은 화창한 날씨였다. 낮술에 낮잠까지 즐길 수 있다면 더할 나위 없이 좋을 것 같았다. 저 멀리 부스럭거리는 소리가 짤막한 감상을 깼다. 계백은 백마에 올라 신라군을 기다렸다.

　황산벌에 다다른 신라군은 저 멀리 나부끼는 계백의 깃발을 보았다. 신라군 틈에서 백제군을 살펴보던 강수가 깃발을 보고 미소 지었다.

"계백이옵니다."

"저자가 왜 전쟁에 나서는가? 그것도 선봉에서, 왜?"

　일사천리로 황산벌까지 진군해온 김유신은 계백의 등장에 잔뜩 긴장했다.

"자네답지 않게 무슨 일을 이따위로 했는가!"

　김유신이 계백의 출전을 막지 못한 강수를 꾸짖어도 강수는 그 속을 가늠할 수 없는 웃음을 지을 따름이었다. 척후병이 달려와 김유신에게 보고했다.

"저기 보이는 백제군이 선봉부대인 줄 알았는데, 이상하옵니다. 적의 배후에 복병이 하나도 없사옵니다. 저기 보이는 오천쯤이 다이옵니다."

　김유신은 백제군이 오천밖에 안 된다니 마음이 턱 놓였다. 풀피리 장단에 맞춰 춤이라도 추고 싶은 심정이었다. 백제가 아직 제정신을 못 차리고 있다는 생각이 들었다. 백제와의 초전은 몸을 푸는 정도로, 신라군의 사기를 높이며 매듭지어질 터였다. 김유신이 장군들을 불러 모았다.

"우리는 임금의 손발이자 이 나라의 대들보다. 위로는 천도를 얻었고 아래로는 지리를 얻었다. 무엇보다 민심이 중요하니, 항복하는 자는 살려줘

라. 적지에서 백성들을 적으로 삼는 것은 어리석은 일이니 함부로 약탈하지 마라."

김유신은 승리를 장담했고 신라 장군들 또한 하나같이 방심했다.

"오천으로 우리를 막겠다고? 놈들을 싹 쓸어버려라!"

김유신은 5만 군대를 셋으로 나누었다. 명장이라고 소문난 계백이 전면전으로 나오는 것은 실제보다 더 강강하게 보이려는 눈속임이 분명할 터였다. 이리 고민하고 저리 재볼 필요가 없었다. 기습전이 아닌 정면승부로 열 명이 하나와 싸우는 것이었다. 신라군 열 명이 백제군 하나를 둘러싸고 몰매를 때려주면 그만이었다. 낮잠 한숨 자고나면 전투는 끝나있을 것이었다.

*

김유신이 군사들을 셋으로 나누어 대열을 갖추고 있을 때였다. 하늘높이 처든 계백의 환두대도가 기수병한테 돌격을 알렸다. 기수병이 대장기를 흔들었다. 문효의 글귀가 새겨진 깃발이 하늘높이 나부꼈다. 계백이 오천솔에게 외쳤다.

"한마음으로 천둥처럼 적을 흔들어라."

계백의 명에 오천솔이 신라군을 향해 돌격했다. 황산벌 곳곳에서 혈전이 벌어졌다. 오천솔은 천 명, 백 명 단위로 흩어져 싸웠다. 신라군에게 포위당할 위기에 처하면 그들을 향해 황금을 내던졌다.

"황금이다!"

오천솔의 외침을 신라군은 믿지 않았다. 누런 돌멩이에 맞지 않으려고 피하기 바빴다. 그러다가 어떤 신라군이 소리 높여 외쳤다.

"진짜 황금이다!"

황금을 차지하려고 신라군이 오천솔에게 등을 보이기 시작했다. 숱한 신라군이 돌멩이가 황금임을 제 눈으로 확인하려 들었다. 땅에 떨어진 황금을 찾느라 이내 전열이 흐트러져버렸다. 갑작스런 소동에 장군들이 거듭 전투명령을 내려도 한번 흐트러진 전열은 쉽사리 바로잡아지지 않았다. 황금을 줍는 자를 참수형에 처한다는 군령을 내렸지만 뒤늦었다. 흩어진 주의력을 되돌리기에 황금의 위력은 몹시 셌다.

오천솔에게 신라군이 밀리기 시작했다. 밀리는 와중에도 황금을 찾는 신라군의 눈은 번들거렸다. 승기를 잡은 오천솔은 공세를 늦추지 않았다. 강수가 김유신에게 말했다.

"대장군, 한숨 돌리시지요."

강수는 백제군이 5천밖에 안 되니 서두를 필요가 없다고 판단했다. 김유신도 군사들의 흐트러진 기강을 바로잡는 것이 먼저라고 생각했다. 기수가 초승달 무늬 대장기를 흔들어 신라군에게 퇴각명령을 알렸다.

첫 전투에서 5만 신라군이 오천솔을 당해내지 못했다. 어이가 없었다. 눈대중으로 봐도 신라군 2천 이상이 쓰러졌다. 김유신은 계백의 잔꾀에 약이 올랐다. 황금 투척, 이건 용병술도 아니었다. 김유신이 명했다.

"다시 전열을 가다듬어라!"

"제게 생각이 있사옵니다."

강수의 생각은 김유신이 고개를 끄덕이게 하였다. 김유신은 장군들에게 강수의 계책을 시행하라고 명령했다. 강수의 계책은 준비하는 데 한식경도 채 걸리지 않을 만큼 간단했다. 강수가 신라군을 향해 외쳤다.

"모여라, 닭싸움이다!"

적진으로 돌격하라는 것이 아니었다. 닭싸움을 구경하라니, 신라군 얼굴에 화색이 돌았다.

난데없이 황산벌 한복판에서 닭싸움이 벌어졌다. 붉은 깃털의 닭과 흰색 깃털의 닭이 맞붙었다. 하얀색은 달의 색깔로 신라 반월성을 상징했다. 누런 듯 붉은 빛깔은 백제 사비성을 상징했다. 신라군은 당연히 흰색 싸움닭을 응원했다. 오래지않아 붉은 싸움닭이 힘없이 쓰러졌다.

"흰색 닭이 이겼다!"

"우리 신라가 이겼다!"

환호성을 내지르는 신라군 앞에 우뚝 김유신이 섰다.

"지금 너희들이 본 것은 닭싸움이 아니라 우리의 미래다. 승리는 너희들의 것이다."

군사들은 웃으며 떠들었고 강수도 빙긋 웃었다. 그가 낸 계책이지만 강수는 미신 따윈 믿지 않았다. 신라군 열 중 하나만 이러한 미신을 신봉하면 되었다. 계산은 단순해도 되었다. 신라군 열의 하나면 5천이었다. 적어도 그들은 5천 백제군과 용감하게 싸우리라 믿었다. 그들을 향하여 김유신이 호령했다.

"닭싸움하듯 신명나게 한판 놀아보라!"

신라군이 전투태세를 갖추었고 오천솔도 전투태세를 갖추었다. 계백이 명적鳴鏑을 쏘아 올렸다. 시위를 벗어난 화살이 괴기한 울음소리를 내며 허공을 갈랐다. 우우우, 오천솔이 고함을 질렀다. 오천솔과 신라군이 일시에 내지르는 고함이 황산벌을 뒤흔들었다.

계백이 황산벌 한복판을 향해 말을 달렸다. 황산벌 가득 흙바람이 휘몰았다. 계백의 귓전을 파고드는 소리가 세찼다. 그 소리는 인간이 내지르는 함성과 비명이 아니었다. 그것은 몸살을 앓는 들녘의 기침소리 같았고 소용돌이치는 물속의 떼울음소리 같았다.

흙바람을 가르며 오천솔도 돌진했다. 대지가 토해낸 울음을 하늘이 공명으로 받았다. 하늘과 땅과 사람이 한목소리로 울었다. 허공에 휘도는 창칼의 바람소리에 사람의 살이 잘려나갔다. 잘려진 머리가 황산벌에 나뒹굴었다. 끊어진 생명이 흘린 피로 황산벌이 붉게 물들어갔다. 피를 삼킨 풀들이 파르르 몸을 떨었다.

황산벌이 독을 마신 처자식처럼 피를 토해냈다. 황산벌을 훑어보는 계백의 눈에 경련이 일었다. 아라와 두 아들이 두 눈을 부릅뜨고 계백을 지켜보고 있었다. 너무도 생생했다. 계백은 이 세상에서 붉은색을 모두 지우고 싶었다. 아니, 아니었다. 차라리 이 세상을 죄다 붉은색으로 물들여버릴 것이었다.

계백은 말의 재갈을 풀어 신라군 진영을 내달렸다. 그가 휘두른 칼이 핏물로 씻어낸 듯 붉은 빛으로 번득였다. 계백의 이름을 새겨놓은 칼은 가마에서 갓 나온 무쇠처럼 뜨거웠다. 적의 목을 벨 때마다 계백은 포효했다.

저것은, 강수가 외마디를 터트렸다. 저 모습은 인간이 아니었다. 인간들의 다툼을 중재하려 내려온 전신戰神이었다. 투구는 핏빛보다 더 붉고, 어깨를 덮고 있는 자주색 포袍는 혼을 빨아들일 듯 펄럭였다. 강수의 눈에 오천솔은 그 전신의 분신들이었다.

"경이롭기 그지없구나!"

신라군 진영을 파헤친 오천솔은 각개격파로 싸웠다. 포위될 성싶으면 재빨리 도망치는 짓도 서슴지 않았다. 신라군의 공세가 주춤하다 싶으면 돌아서서 다시 돌격했다. 오천솔은 손에 잡히지 않는 바람 같았다. 바람은 자유자재로 방향을 틀었다. 덩어리를 이룬 듯싶던 바람은 이내 흩어지면서 신라군의 혼을 앗아갔다. 신라군의 사기가 급격히 떨어졌다. 오천솔의 기동력을 감당하지 못하자 김유신이 또 퇴각을 알렸다. 퇴각을 알리는 나발마저 주눅 든 듯 매가리가 없었다.

시끌벅적한 백제군 진영과 달리 신라군 진영은 연이은 패배로 잠잠했다. 강수만이 다소 들떠있었다. 그토록 고대하던 날이었다. 첫 번째, 두 번째 싸움을 지켜본 강수는 감탄했다. 안시성에서 당태종을 가지고 놀았다는 계백의 이름은 허명이 아니었다. 그는 신과 마주해 얻었다는 그 이름값을 톡톡히 하고 있었다. 강수의 눈앞에서 계백과 오천솔이 살아 움직였다. 경탄과 동시에 강수의 입에서 시가 새어나왔다.

황금꽃 고깔관모 쓰고
머뭇거리지 않는 백마 타고
펄럭이는 넓은 옷소매는

해동의 새 답구나!

金花折風帽
白馬小遲回
翩翩舞廣袖
似鳥海東來

강수의 시를 듣고 김유신이 짜증을 냈다.

"강수, 천 명이나 되는 군사가 또 피를 흘렸다. 적장을 칭송하다니, 말이 되는가?"

"적장이라도 존경할 만하면 존경해야지요."

키득거리는 강수를 보고 김유신이 나직한 신음소리를 내고는 돌아섰다.

황산벌 가득 휘돌던 흙바람이 잦아들었다. 해가 기운 벌판을 적막이 채워갔다. 낮게 깔린 가을바람이 황산벌을 메운 피비린내를 실어 나르고 있었다. 김유신이 장군들과 신라군 앞에 섰다. 김유신의 시선이 장군들을 향하자 그들은 일제히 고개를 숙였다. 김유신이 좌우로 신라군을 죽 둘러보았다.

"고구려와 백제는 우리 강토를 수없이 침략했다. 우리 어린애들까지 잡아다 노비로 부렸다. 이 싸움에서 이겨야만 원수를 갚을 수 있다. 병법과 반대로 적을 가벼이 여겨라. 죽음을 두려워하는 자만 죽을 것이다. 저기 있는 조무래기를 물리치는 건 일도 아니다. 오만 대 오천이다. 힘을 내라, 신라의 아들들이여."

신라군은 김유신의 말을 곱씹으며 마음을 다잡았다. 장군들의 얼굴에는 결연한 의지가 서렸다. 좌장 김품일金品日이 칼을 뽑아들고 외쳤다.

"대장군, 제가 야습을 해서 놈들을 무찌르겠사옵니다."

장군들이 앞 다투어 칼을 뽑아들었다.

"제가 가겠사옵니다."

"아닙니다. 저를 보내주시옵소서."

김유신이 그들을 말렸다.

"아서라. 자칫 함정에 빠질 수도 있으니 놈들의 야습에 대비만 해라."

김유신은 서두르지 않았다. 계백도 야간 기습공격을 시도하지 않았다. 숫자가 적은 탓에 체력소모가 신라군보다 컸다. 오천솔에게는 휴식이 필요했다. 내일 또 싸워야 했다. 오천솔은 내일을 걱정하지 않고 잤고 신라군은 내일을 걱정하며 황산벌에서 잠을 잤다.

잠이 깊은 자에게 밤은 짧았고, 잠이 얕은 자한테 밤은 길었다. 7월 9일 계백의 밤은 뭍에서 허둥대는 거북이처럼 느릿느릿 갔다.

11. 오천 결사대

7월 10일의 날이 밝았다. 오늘은 당군과 신라군이 합류하기로 한 날이었다. 어제의 패배가 남긴 여파로 신라군의 몸과 마음은 천근만근이었다. 오늘만은 아침이 없기를 바랐는데, 저 동쪽 하늘에서 희끄무레한 태양이 떠오르고 있었다.

냇가에서 세수를 했어도 신라군 얼굴은 푸석했다. 어제는 무사했지만 오늘은 어떨까. 생나무가 타는 냄새에 이어 밥 짓는 내와 돼지고기 굽는 냄새가 진동했다. 식욕이 돌지 않았다. 소속된 부대로 돌아가는 신라군 걸음걸이는 늙은 소처럼 더디었다.

음식은 푸짐했다. 차조밥과 돼지고기가 저절로 군침이 돌 만큼 맛나보였다. 군사들은 숟가락을 집어 들었다. 싸우기 위해 삼켜야만 하는 밥알은 모래알처럼 깔끄러웠다. 군사들은 기름진 돼지고기를 퍽퍽하다고 느꼈다. 개중에는 한 번 더 배식을 받으려고 줄을 다시 서는 군사도 있었다. 대다수 군사들은 이게 마지막 식사일지 모른다는 생각에 꾸역꾸역 목구멍

안으로 음식을 밀어 넣었다.

김유신은 장군들과 머리를 맞대고 궁리 중이었다. 막사 안에서 아침식사 겸 작전회의를 오래도록 했다. 두 번의 패배에 장군들은 말문이 막히기 일쑤였다.

"누구를 보내야 하는가?"

고개를 숙이고 김유신이 입을 열었다. 뚝 밥맛이 떨어진 김흠순이 땅바닥에 숟가락을 내던졌다. 그는 김유신의 동생이었다. 김흠순이 아들 김반굴金盤屈을 불렀다. 김흠순은 그의 아들을 적진으로 보낼 생각이었다. 군사들의 떨어진 사기를 높일 제물이 필요했는데, 보통 제물로 사기 진작은 어림없을 것이었다. 대장군 김유신의 조카 정도는 되어야 떨어진 사기를 끌어올릴 터였다. 묵묵히 김유신은 아침밥을 먹었다. 동생의 용단을 가로막지 않겠다는 무언의 맞장구였다. 오늘이 소정방과 만나기로 약조한 날인 만큼 김유신은 절박했다.

막사 안으로 김반굴이 들어왔다. 초조한 모습으로 서서 아들을 기다리던 김흠순이 그의 어깨에 손을 얹었다.

"아침밥은 먹었느냐?"

"예."

"든든히 먹었느냐?"

"예."

"아들아, 신하된 자에게 충성보다 귀중한 게 없고, 자식의 도리로 효도만 한 것이 없다. 네 목숨으로 우리 신라가 이 고비를 넘긴다면, 충과 효를 동시에 이루는 것이다."

김반굴은 주저하지 않았다.

"장군의 명을 받들겠사옵니다."

김반굴은 김흠순을 아버지라 하지 않고 장군이라 불렀다. 김흠순이 아들의 등을 토닥여주었다.

둥. 둥. 둥. 둥. 북 소리에 황산벌의 심장이 뛰었다. 신라군의 북소리에 오천솔도 결의를 다졌다. 나이어린 장수 하나가 오천솔을 향해 돌격해오고 있었다. 오천솔은 김유신에게 야유를 보냈다.

"전쟁터를 애들 놀이터로 아나."

"신라 최고의 명장이라더니, 저 따위 계책밖에 못 쓰는가?"

오천솔은 어린 장수와의 일대일 대결을 서로 미루었다. 전시라도 어린 생명을 죽이는 일은 내키지 않았다. 천장仟將 홍궁洪弓이 자리에서 일어섰다.

"내가 하지."

어린 장수를 상대하려 홍궁이 달려 나갔다. 홍궁과 김반굴이 황산벌 한 가운데에서 조우했다. 홍궁이 한 차례 휘두른 칼에 김반굴이 말에서 굴러 떨어졌다. 요란하던 신라군의 북소리가 뚝 그쳤다. 일합에 쓰러진 김반굴은 두 눈을 부릅뜬 채 절명했다.

김유신은 김반굴이 보여준 용기에 신라군이 사기가 올랐을 것이라 판단했다. 직접 북을 두드리며 김유신이 명령했다.

"돌격하라!"

백제 진영을 향해 달려가는 신라군은 출발부터 무기력했다. 김유신의 예상과 달리 신라군은 김반굴처럼 개죽음을 당하기 싫어졌다. 신라군은 김유신을 악인이라 여겼다. 김유신은 그의 욕망을 위해서라면 물불을 가리지 않아왔다. 방금 조카를 제물로 바친 것, 출세를 위해 누이를 이용한 것, 당나라 졸개가 되어 백제를 치는 것, 모두 그의 영달을 위해서였다.

신라군의 심기를 더욱 불편하게 만든 건 그들도 어린 김반굴을 죽음으로 내몬 공범이라는 사실이었다. 김반굴의 죽음이 신라군 마음속을 헤집어 놓았다. 신라군은 싸우려는 의지를 꺾고 스스로 물러났다. 제대로 맞붙지 않았기에 희생자는 적었다. 황산벌에서의 세 번째 전투도 신라의 패배로 마감됐다.

대장군 김유신과 그의 책사 강수는 당황했다. 그들의 패배와 계백의 승리에 속에서 불이 일었어도 김유신과 강수는 한동안 서로 말이 없었다. 시간마저 백제 편인 듯 무심히 흘러갔다. 태양이 어느덧 중천에서 서쪽으로 기울고 있었다. 김유신은 오늘 떠오른 태양을 이대로 서천으로 보낼 수 없었다. 이번에는 강수가 나서 얼른 이 황산벌을 벗어나 당군과 합류해야 한다고 장군들을 채근했다.

신라의 장래를 걱정하는 좌장군 김품일이 나섰다. 그가 아들 김관창金官昌을 불렀다. 목숨 하나가 제 몫을 못한다면 다른 제물을 바쳐서라도 승리를 이끌어내는 게 전쟁이었다. 좌장군 김품일이 그 아들과 함께 김유신 앞에 섰다.

"제 아들이 겨우 열여섯이지만 높은 뜻과 큰 기백을 갖고 있사옵니다. 오늘 용감히 싸워 삼군의 모범이 될 것이옵니다."

좌장군 김품일이 김관창에게 군령을 내렸다.

"김관창에게 명한다. 적의 대장기를 빼앗거나 적장 계백을 죽여라!"
"아버님의 분부를 받들겠사옵니다."
좌장군 김품일에게 김관창은 아버지라는 호칭을 썼다.

김관창이 창을 들고 백제군 진영으로 돌격했다. 김관창의 화려한 갑옷이 가을 햇살을 받아 빛났다. 신라군 진영을 지켜보던 오천솔 홍궁이 자리에서 일어나 칼을 뽑아들었다. 정나말#奈末이 홍궁의 팔을 붙들었다. 정나말의 손아귀 힘이 곰처럼 셌다.

"이번엔 내가 가겠네."

천장 정나말이 칼을 높이 쳐들었다. 돌진해오는 김관창의 말을 향해 내달렸다. 김관창을 태우고 달려오던 말이 정나말 앞에서 우뚝 멈춰 섰다. 김관창이 먼저 창을 휘둘렀다. 창을 피한 정나말이 김관창이 탄 말의 다리에 칼을 휘둘렀다. 말이 쓰러지면서 김관창이 풀밭에 나뒹굴었다. 재빨리 일어선 김관창이 정나말을 향해 달려들었다. 정나말은 김관창의 손에서 창을 낚아채 우지끈 부러뜨렸다. 무기를 빼앗긴 김관창은 주먹을 불끈 쥐고 맨몸으로 달려들었다. 정나말이 한 손으로 김관창의 뒷덜미를 잡아 제압했다. 둥둥, 둥, 신라군의 북소리가 잦아들었다.

김관창을 앞세우고 정나말은 백제 진영으로 돌아왔다. 정나말은 포로 김관창을 계백에게 바쳤다. 계백이 물었다.

"넌 누구냐?"

김관창은 대답하지 않았다.

"누구냐고 물었다."

김관창은 끝내 입을 열지 않았다.

정나말이 버럭 화를 냈다.

"순순히 불어라."

성질이 급한 정나말이 김관창의 투구를 벗겼다. 앳된 얼굴의 소년이었다. 계백은 어디선가 본 듯한 얼굴이라고 생각했다.

"마지막으로 묻겠다. 넌 누구냐?"

김관창은 갈등했다. 막상 죽음을 각오하고 사지로 왔지만 살고 싶었다. 마침 그의 삶은 적장 계백에게 달려있었다. 김관창은 독심이 약해지고 있었다. 그는 허무하게 죽기보다는 후일을 기약할 수 있는 쪽을 택하기로 마음먹었다. 김관창은 계백에게 머리를 조아렸다.

"저는 관창이옵니다."

계백이 고개를 주억거렸다.

"그래, 대야성 성주였던 김품석의 조카이자 김품일의 아들. 네 아비를 쏙 빼닮았구나. 이제 열여섯, 열일곱 살쯤 되었겠구나."

김관창은 자신을 알아봐준 먼 친척 계백을 보고 머릿속이 복잡했다. 계백도 혼란스러웠다. 문우와 문효를 죽이라고 했던 은고, 조카를 제물로 삼은 김유신, 아들을 사지로 내몬 김품석, 아들들의 죽음을 지켜본 계백, 모두 하나같은 인간이었다.

계백이 잠시 감았던 눈을 떴다.

"관창아, 집으로 돌아가거라. 네 용기가 가상해서 보내주는 것이 아니다. 네 나이가 너무 어리기 때문도 아니다. 네가 친족이라 봐주는 것도 아니다. 두 아들을 사지로 보낸 나처럼, 네 아비가 불쌍해서 널 살려주는 것이다."

김관창은 어리둥절했다. 계백이 두 아들을 사지로 보냈다니, 이게 무슨 말인가! 계백의 말에 오천솔이 고개를 돌리고 눈물을 흘렸다. 김관창은 더 어리둥절했다. 저 무시무시한 투사들은 왜 우는 것인가.

계백이 명을 내렸다.

"풀어줘라."

정나말이 김관창의 결박을 풀었다. 계백은 이 나이어린 친족 소년을 그냥 보내지 않았다. 계백은 그의 인내심을 시험하려드는 김유신을 조롱했다.

"가서 유신공께 다른 전술을 모색하라고 일러라. 또 이 말도 전해라. 여기 황산벌에서 나를 이기지 못하면 신라의 장래는 없다고 말이다. 내가 서라벌을 점령해버릴 테니 그리 알라 전해라. 그리고 넌 이 황산벌에서 곧장 집으로 가거라."

김관창은 대답하지 않았다. 터벅터벅 김관창은 신라군 진영을 향해 걸어갔다. 김관창이 걸어서 가는 황산벌은 피투성이였다. 김관창은 피 냄새가 가시지 않은 그 붉은 들을 뒤돌아보지 않고 걸음을 옮겼다.

*

살아서 돌아오는 김관창을 향해 김품일이 달려갔다. 김품일은 아들의 따귀를 힘껏 때렸다.

"너는 네 아들 관창이 아니다."

김관창이 고개를 숙였다. 살아있는 제물은 없었다. 제물은 죽어야 목숨 값을 할 수 있었다. 김관창이 다시 군막 앞에 무릎을 꿇고 김유신과 장군 들에게 출전을 고했다.

"적의 진영을 파악했으니 다시 가겠사옵니다."

김품일이 아들 김관창에게 수통을 건네주었다. 고개를 들어 김관창이 아버지의 눈을 바라보았다. 김품일의 눈은 울고 있었다. 김관창은 물을 벌 컥벌컥 마셨다. 물맛이 썼다. 열여섯 짧은 생애도 썼다.

아버지에게 수통을 돌려주지 않고 김관창은 백제 진영을 향해 다시 말 을 몰았다. 뿌연 흙바람이 황산벌의 하늘로 솟구쳐 올랐다. 짧은 순간, 운 명이라는 말이 그의 뇌리를 스쳤다. 운명은 내가 말을 몰고 가면서 일으 키는 바람 같은 것인가. 고개를 저었다. 지금 김관창의 운명은 다시는 불 이 붙지 않을 숯이었다.

신라군 진영을 지켜보고 있던 오천솔이 술렁였다. 정나말이 말했다.

"아까 살려보낸 그 소년을 다시 보낸 거야?"

홍궁이 말했다.

"김유신이 괴수가 아닌 다음에야."

오천솔들 중 최고의 무술실력을 지닌 마고麻固가 일어섰다. 일대일 대결 을 위해 마고가 달려 나갔다. 황산벌에 맞바람이 휘돌았다. 김관창은 세 상의 모든 바람이 그를 향해 쏟아지는 것처럼 느꼈다. 영글지 않은 김관 창은 마고의 적수가 되지 못했다. 김관창은 이번에도 칼 한 번 휘두르지 못하고 무릎을 꿇었다. 김관창은 다시 사로잡혔다. 마고가 김관창에게 호통을 쳤다.

"집으로 돌아가라 하지 않았느냐!"

마고는 계백과의 약조를 어긴 김관창을 용서하지 않았다. 이번에는 김관창을 살려서 계백에게 데려가지 않았다. 김관창의 목을 베고 나서, 그가 집으로 돌아가기를 바랐던 계백의 심정을 헤아렸다. 비록 죽어서이지만 김관창이 집으로 돌아갈 수 있도록 조치했다. 김관창의 머리를 말안장에 실어 보냈다. 마고는 김관창을 태운 말이 보이지 않을 때까지 바라봤다. 김관창의 짧은 삶은 지나가면 회귀하지 않는 소슬바람 같았다. 계백의 아들 문우와 문효가 백제의 건아인 것처럼 김반굴과 김관창은 신라의 건아였다.

김관창을 실은 말은 신라군 진영으로 돌아갔다. 김관창의 수급은 돌아오지 않을 바람이 되어 아버지 품에 안겼다. 김품일은 피에 젖은 아들의 머리를 잡아들었다. 아들의 피가 아버지 김품일의 옷소매를 적셨다.

"너는 내 아들 관창이다. 관창아, 장하다."

신라군이 흐느껴 울었다. 김관창의 수급을 목격한 신라군은 격정이 끓어올랐다. 김유신은 때를 놓치지 않고 진격명령을 내렸다.

우와아아아! 황산벌에서 오천솔과 신라군이 다시 맞붙었다. 네 차례나 만나니 서로의 얼굴이 낯익었다. 적이 적처럼 느껴지지 않았으나, 반드시 상대를 쓰러뜨려야 하는 승부였다. 오천솔과 신라군은 상대를 죽여야 내가 살 수 있다는 생각만 다졌다.

황산벌에 울려 퍼지는 기합과 함성에 하늘과 대지를 배회하던 까마귀들이 달아났다. 전투는 해가 질 때까지 계속되었다. 신라군 북소리에 따라 오천솔은 진형을 바꾸었다. 숫자가 적어 움직임이 빠른 탓에 신라군 수뇌부는 한 발씩 느린 군령을 내렸다.

오천솔은 열 배나 되는 신라군과 맞서려 있는 힘을 다해 몸을 놀렸다. 수가 적은 탓에 군악대도 악기를 버리고 칼과 창을 들고 싸웠다. 오천솔은 신라군의 창칼에 죽기보다는 기력이 다하여 쓰러져갔다.

오천솔의 현란한 움직임을 넋 놓고 바라보던 김훈순이 감탄했다.

"어중이떠중이들이 아니었구나. 저 오천솔은 썩은 조개 속의 진주로다."

크게 낙담한 김유신도 외마디 신음과 함께 쓰라린 찬사를 토해냈다.

"계백은 두말이 필요 없는 준걸이로다!"

"저 놈들은 미친개입니다. 미친 자는 미치지 않은 자를 두려워하는 법입니다."

신라 장군들과 어울리지 않은 이 목소리는 강수의 것이었다. 강수가 김유신에게 다가가 귓속말을 했다.

"지금 저 계백의 휘하에 좌평 부여충상과 달솔 흑치상영이 있답니다."

김유신의 눈이 빛났다.

"분명 그자들인가?"

"틀림없사옵니다."

"사택임자에게 미리 손 써두길 잘했군. 저 계백 한 사람 때문에 대사를 그르칠 뻔했지 않은가."

"곧 전세가 뒤바뀔 것이옵니다."

"이 사람, 강수. 그대의 공이 크네."

여유를 되찾은 김유신이 군령을 내렸다.

"날도 어두워졌으니 나발을 불어라. 밥 먹고 술 한잔씩들 하고 푹 쉬자."

신라 장군들이 김유신을 의아하게 쳐다봤다. 4천여 군사를 잃은 마당에 술이라니, 신라 장군들은 김유신을 도무지 이해할 수 없었다.

뿌, 뿌, 뿌우. 해질녘 나발소리에 신라군은 집 생각이 났다. 저녁 식사로 준비하는 음식 냄새가 코를 찔렀다. 싸움에서 이겼거나 졌거나 밥은 먹어야했다. 밥을 먹어야 내일 또 싸울 수 있었다. 황산벌 구석에서 오천솔도 저녁밥을 먹었다.

사비성에 살고 있는 백성들도 저녁밥을 먹었다. 그들은 밥을 먹으면서 전쟁 이야기를 나누면서도, 황산벌의 전투소식에 귀를 기울였다.

"이겼다!"

황산벌에서 계백의 승전보가 날아들었다.

"이겼다!"

환호성이 사비성 성벽을 타고 메아리쳤다. 서로 얼싸안고 승리를 자축했다. 기쁨이 채 가시기도 전에 다른 전령이 말을 타고 달려오고 있었다. 두 번째 전령은 왠지 좋은 조짐은 아닌 듯했다. 백성들도 5만 대 5천이라는 숫자의 열세를 알고 있었다. 심장이 벌렁거리고 온몸이 떨렸다.

"또 이겼다!"

와와, 모두가 팔을 올리고 날뛰었다. 사비성 주민들이 북을 울리고 징을 두드렸다. 무려 네 번을 이겼다. 계백을 낳아준 금마저를 향해 큰 절을 올렸고 황산벌을 향해서도 큰 절을 올렸다. 계백에게 고맙고 미안했다. 처자식도 없는 계백이 신라군을 무찌르는 건 다름 아닌 그들을 위해서였다. 오, 계백이여! 오, 오천솔이여!

부쩍 노쇠해진 의자왕의 어깨가 절로 들썩였다. 무거운 몸을 일으켜 춤이라도 추고 싶었다. 멀리서 의자왕을 지켜보던 은고는 치맛자락을 휘어잡고 하릴없이 사비궁 안을 서성였다.

의자왕도, 은고도, 좌평들도, 사비성 주민들도, 온 백성이 내일모레면 전쟁이 갈무리될 것이라 생각했다. 이 밤이 설날과 한가위를 더한 것보다 더 달떴다. 달빛이 저토록 아름다운 것인지, 삶이 이토록 기쁜 것인지 미처 몰랐다. 전쟁에서의 승리란 이런 것이었음을 새삼 깨달았다. 잠을 청해도 잠을 이룰 수가 없었다. 잠든 사이 승전보가 또 올지도 몰랐다. 나라 전체가 대보름날인 것처럼 하얗게 밤을 지새울 생각이었다. 잠꾸러기 아이들도 내려앉는 눈꺼풀을 붙들어 매고 있었다.

12. 계백, 신과 마주하다

7월 11일 새날이 밝아오고 있었다. 당나라군과 신라군은 7월 10일 합류하지 못했다. 당군과 신라군이 잃어버린 하루를 계백이 가져갔다. 계백은 백제사람 모두에게 전쟁에 대비할 하루를 벌어준 셈이었다.

자정을 넘기도록 계백은 잠들지 못하고 있었다. 잠을 청해봤지만 또렷한 정신이 잠을 허락하지 않았다. 4전 4승을 거두었지만 계백은 고민이 많았다. 뭐지? 그 무언가를 놓치고 있다는 생각이 자꾸만 들어찼다. 뒤집어 생각해봐도 그것이 뭔지 떠오르지 않았다.

아라와 문우, 문효가 집중되려는 생각을 자꾸 흩트려놓았다.

'문우야, 문효야!'

계백의 눈도 흐려져 갔다.

'아라, 미안하오.'

계백은 몸을 자꾸만 뒤척였다. 얼핏 벗어놓은 명광개가 보였다. 계백은 태아처럼 웅크린 자세로 잠을 청했다. 잠이 오지 않았다. 계백은 막사를 나와 어둠이 깔린 들을 둘러봤다. 낮의 소리는 들려오지 않았다. 대신 들짐승의 울음소리와 날짐승의 기척이 황등야산의 빈 들을 채웠다. 정체 모를 새 두 마리가 푸드득 황산벌의 어둠을 갈랐다. 저 멀리 신라 진영을 바라보던 계백의 입에서 한숨이 새나왔다.

계백은 억지로 잠을 청했다. 날이 밝으면 싸워야 하니 눈은 붙여둬야 했다. 무거운 몸에 정신만 대꼬챙이처럼 뻗어나갔다. 놓치고 있는 게 무엇일까, 생각하다가 계백은 어느 결에 깊은 잠에 빠져들었다.

타고 갈 말 한 필 없었고 뗏목 하나 보이지 않았다. 계백은 금마저까지 걸어가야 했다. 느려지려는 걸음을 재촉했다. 저 멀리 집이 보였다. 대문 앞에 서니 떠드는 소리가 들렸다. 방안에서 물시계를 사이에 두고 형제가 다투고 있었다. 아라가 형제간에 이렇듯 다툴 거면 차라리 물시계를 부숴버리겠다고 했다.

계백은 한발 한발 다가섰다. 확 방문을 열어 놀라게 해줄 생각이었다. 계백이 문을 잡아당겼다. 문이 열리지 않았다. 계백은 아이들을 불렀다. 문우야, 아비다. 문효야! 문을 열어주지 않았다. 계백은 이제 아라의 이름을 불렀다. 마노라, 나요, 문 좀 열어주시오. 계백은 문을 열라고 소리쳤다. 절규하듯 비명을 질렀지만 문이 열리지 않았다. 문이 열리지 않자 다른 문을 찾아다녔다. 그 많은 문들이 꽁꽁 닫힌 채 하나도 열리지 않았다.

계백은 식은땀을 흘리며 가위눌리고 있었다. 신라군은 오늘도 야습을 시도하지 않았다. 오천솔의 역습을 우려해 신라군은 무리하지 않았다. 경계병을 제외한 모든 이들이 잠들어 있었다.

경계병이 아닌데도 깨어있는 사람들이 있었다. 잠을 이루지 못해서가 아니었다. 계백이 잠들기만을 기다린 사람들이었다. 달이 구름에 가린 동안 검은 그림자들이 나타나 황산벌에서 꼼지락거렸다. 부여충상과 흑치상영이 데리고 온 수족 30여 명의 움직임은 긴밀했다. 막사를 지키는 당번병은 이 아는 얼굴들에게 방심했다.

부여충상과 흑치상영과 그 수족들은 계백의 막사 안으로 유유히 들어갔다. 부여충상이 자신 있게 칼을 뽑았다. 그가 장검을 높이 쳐들었다. 그의 팔이 부들부들 떨었다. 하얗게 질린 부여충상이 질끈 눈을 감았다. 그의 손은 허공에서 내려올 줄 몰랐다. 흑치상영이 눈살을 찌푸렸다. 부여충상의 팔은 뒤로 돌아서서야 내려왔다. 흑치상영이 허리에 차고 있던 단도를 뽑아들었다. 깊이 잠들어 있는 계백의 심장에 칼을 꽂았다. 계백은 스치는 섬광에 번쩍 눈을 떴다. 흑치상영의 형상을 바라보는 계백의 눈은 그윽했다.

세상의 빛을 처음 본 순간 왠지 울음이 나왔다. 목이 마르다고 울었고 기저귀가 젖었다고 울었다. 어머니 품에 안겨 그분의 사랑스런 음성처럼 흐르는 젖을 먹었고, 아버지 입안에 든 밥을 빼앗아 먹었고, 형과 반찬을 나누어 먹으며 자랐다. 동무와 우정을 나누며 커갔고 여인의 사랑을 느끼며 청년이 되었다. 아들들이 내 옷에 말간 오줌을 쌌을 때 아버지가 되었고, 아내와 정을 주고받는 남편이 되었다.

나는 산 것인가. 계백이라는 이름이 살아있으면 나는 산 것인가. 남들이 내 이름을 기억해주면 나는 산 것인가. 내가 목마를 태워준 아들이 살아있다면 나는 산 것인가. 나를 닮은 아들이 아들을 낳으면 나는 살아있는 것인가.

나를 죽인 건 누구인가. 내가 사랑한 아내인가. 나보다 먼저 죽어간 아들들인가. 나를 죽이는 것들은 무엇인가. 계백이라는 나의 이름인가. 흑치상영인가, 은고인가, 강수인가, 황산벌인가.

나를 죽이는 것은 백제인가, 신라인가. 나를 죽이는 것은 칼일 수도, 마음일 수도 있었다. 하늘이시여, 이 나라를 어찌 하시렵니까. 신이시여, 이 겨레를 어찌 하시렵니까.

계백은 온힘을 다해 스러져가는 정신을 붙들었다. 박박과 타로를 떠올렸다. 오천솔들과 함께했던 지난날들도 펼쳐졌다. 계백은 입가에 흐르던 미소를 지워갔다. 천신의 그림자가 눈에 어른거렸다. 계백은 그가 꿈꾸었던 곳으로 향하는 문이 스르르 열리는 것을 보았다. 둘째 문효가 그의 품으로 뛰어들었다. 내 아들아!

눈을 부릅뜬 채 계백은 죽었다. 그의 심장이 더 이상 뛰지 않았어도 흑치상영은 계백의 목을 베었다. 부여충상과 흑치상영은 서둘러 막사 밖으로 나갔다. 그들은 계백의 수급을 들고 야음을 틈 타 신라 진영으로 도주했다. 가슴을 졸이던 부여충상은 계백이 벗어둔 명광개를 까맣게 잊은 채 달아나기에 바빴다.

계백의 수급이 신라 진영에 도착했을 때 강수는 뜻밖의 말을 김유신에게 했다.

"대장군, 저는 이제 집으로 돌아가겠사옵니다."

김유신은 어리둥절했다.

"싸움은 아직 매조져지지 않았네."

"저 없이도 대장군께서 능히 대업을 이루실 것이옵니다."

"당나라군도 상대해야 하지 않는가? 자네 없이 이 전쟁을 어찌 치른다는 말인가?"

강수는 계백처럼 살고 싶지 않았다. 계백은 황소처럼 백제라는 주인이 부리는 대로 묵묵히 끌려 다녔다. 그는 언제 잡아먹을지도 모르는 주인 백제국의 쟁기를 끌다 갔다. 계백은 하늘의 형벌 같은 백제와 신라 두 개의 멍에를 쓰고 쟁기만 끌었다. 강수는 거듭 고사했고 끝끝내 김유신은 그를 붙들었다.

*

7월 11일 동녘이 밝았다. 오천솔은 목이 없는 계백을 발견했다.

막사를 뛰쳐나온 오천솔이 신라 진영을 바라봤다. 그곳에 매달려 있는 건 계백의 수급이었다. 부여충상과 흑치상영과 그 수족 30여 명이 적진의 선두에 서서 이편을 바라보고 있었다.

오천솔은 경악에 몸을 떨었다. 뼈를 갉아대는 듯한 통증으로 무릎을 꿇었다. 온몸의 근육이 몰매를 맞은 듯 쑤셔왔다. 송곳으로 머릿속을 후벼 파는 듯 어지러웠다. 어느 순간 모든 신경이 마비된 듯 손과 발이 허공에서 허우적거렸다. 칼과 창을 들 수 없었다. 앞이 캄캄할 뿐 무슨 일이 일어났는지조차 알 수 없었다.

오천솔은 깨달았다. 슬픔이 극에 달하면 가슴이 미어지지도 않는다는 것을. 어떤 의욕도 생기지 않는다는 것을 느꼈다.

무왕이 꿈에 성왕을 뵙고 낳은 아들이 부여승, 즉 계백이었다. 어느 날 무왕이 성왕의 초상화 앞에서 이렇게 말한 적이 있었다.

"성왕폐하를 닮았다는 왜의 성덕태자보다 계백이 그 분을 더 닮았구나. 마치 선왕폐하를 다시 뵙는 것 같구나."

성왕은 하늘이 내린 지혜로 다섯 나라의 말을 하며, 열 명이나 되는 사람들의 제각각 말도 동시에 알아들었다. 신라에 목이 잘려 비명횡사하긴 했어도 그 생을 다한 왕들은 자연스레 신으로 추앙을 받았다. 훗날 무왕은 태몽으로 얻은 왕자 부여승에게 '계백階伯'이라는 별명을 지어주었다.

피휘하는 중국과는 달리, 고구려와 백제의 후예왕들이 선대왕들의 이름을 그대로 사용하는 것은 조상들을 드높이는 일이었다. 대왕들의 이름은 곧 대왕들의 분신이나 마찬가지였다. 대왕들의 이름이 끊이지 않는 것이 그들이 영원히 사는 것이라 믿었다.

고구려의 산상왕은 태조왕 '궁'을 닮았다하여 '위궁'이라는 이름으로 불렸다. 의자왕에게는 현조 무령왕 부여융隆과 이름이 똑같은 아들 부여융隆이 있었다. 후대 왕들은 심지어 바위와 땅과 웅장한 건물에도 위대한 선왕들의 이름을 붙였다. 오천솔이 만약 신라군을 물리친다면 이 황산벌은 계백의 이름을 따라 지명이 바뀔 것이었다.

김유신과 강수는 백제 진영을 주시하고 있었다. 오천솔 내부에서 소란이 일어날 줄 알았던 김유신은 의아해했다. 출전명령을 내리지 않고 기다린 것은 적의 동태가 수상해서였다. 좀 더 지켜보기로 했다. 이제 오천솔에게는 머리 없는 계백의 몸만 있을 뿐이었다.

　계백의 참모 격인 천장 우도于都는 고민을 거듭했다. 슬픔은 전염되기 십상이었다. 이대로는 안 되겠는지 우도가 오천솔을 독려하고 나섰다.

　"오천솔아, 전쟁은 수단과 방법을 가리지 않는다. 적장을 암살해서 이기는 것 또한 승리다. 계백왕자님을 지키지 못한 우리가 죄인이다. 이 전투에서 진다면 우리는 두 번 죄를 짓는 것이다. 내가 가야할 길은 이미 정해져 있다. 그 길은 오직 하나, 계백왕자를 따라 저 하늘로 가는 것이다. 오천솔아, 그대들은 어찌할 것인가?"

　오천솔이 대답했다.

　"우리는 죽어도 죽는 게 아니다. 우리가 죽는 날이 바로 새롭게 태어나는 날이 될 것이다! 이 땅에서 전설이 되고 신화가 되어 계백왕자와 함께 영원히 살자!"

　"아침을 먹자. 놈들과 싸우려면 먹어야 한다."

　정나말이 비장하게 말했다.

　"우리는 네 번 싸워 네 번을 이겼다. 열 번 싸워 열 번을 못 이기란 법 없다."

　고개를 끄덕이며 오천솔은 결사대가 되기로 작심했다.

　밥을 먹자마자 오천솔은 출전을 서둘렀고 김유신은 여유를 부렸다. 장수가 없는 군대가 이겼다는 말은 들어 본 적이 없었다.

　오천솔이 신라 진영을 바라봤다. 신라군은 화살 공격을 준비하고 있었다. 오천솔은 신라군의 공격을 기다리지 않았고 김유신은 오천솔을 기다리고 있었다. 강수는 오천솔의 선제공격을 예상하고 땅에 미리 마름쇠를 뿌려놓았다.

오천솔이 신라 진영으로 말을 달렸다. 마름쇠를 밟은 말들이 울음소리를 내며 꼬꾸라졌다. 말에서 나뒹군 오천솔도 마름쇠에 찔려 절뚝거렸다. 그들은 창칼을 높이 쳐들고 전진했다. 어느새 사방이 신라군이었다. 오천솔은 서서히 포위되어 갔다. 중과부적이었으나 오천솔은 아무도 도주할 생각을 하지 않았다. 피가 튀며 살점이 떨어져 나갔다. 팔과 다리가 잘리고 목이 부러져도 죽겠노라 다짐했던 오천솔은 흔들리지 않았다. 항복이란 말을 오천솔은 몰랐다. 결사를 맹세한 이들의 시체가 벌판에 나뒹굴었다.

살아있는 오천솔이 웃음을 터트리기 시작했다. 광기에 사로잡힌 웃음이었다. 신라군이 칼을 휘둘렀다. 방패를 땅바닥에 떨어뜨린 오천솔은 날아드는 칼날을 맨손으로 막았다. 손가락이 떨어져나가고 손바닥이 베이고 손목이 잘려나갔다. 오른손이 잘리면 왼손으로 칼을 막았다. 신라군의 창칼이 우수수 황산벌의 풀들을 훑었다. 바람 속에서 휘돌던 풀잎들이 오천솔과 신라군의 창칼에 다시 한 번 소용돌이쳤다. 신라군이 휘두른 칼에 오천솔의 머리가 황산벌로 뚝뚝 떨어졌다. 내 것인가? 놈의 것인가? 오천솔이 하나둘씩 쓰러져 계백을 뒤따라갔다.

대장기를 든 기수도 도망가지 않았다. 기수는 그의 생명보다 기를 더 소중히 해야 했지만 그러지 않았다. 기수를 보호하려다 검의 달인 마고가 쓰러졌다. 기수는 깃발을 매단 창을 들고 싸우다 죽었다.

"한 놈만 남았다!"

신라군이 소리쳤다. 최후의 결사대원이 외로이 싸우고 있었다. 정나말이었다. 그를 지켜보는 신라군은 경외심이 일었다. 괴성과 함께 정나말은 들고 있던 칼을 신라군을 향해 던졌다. 마지막 힘이었다. 싸울 힘이 더 이상 남아있지 않았다. 잦아들던 쇳소리의 울음이 마침내 황산벌에서 그쳤다. 풀잎만이 황산벌에 빨간 눈물을 뚝뚝 흘리고 있었다.

신라군의 시선이 일제히 정나말에게 쏠렸다. 정나말은 20년쯤 묵은 남루한 군장에, 미늘이 군데군데 빠진 낡은 갑옷 차림이었다. 몸에는 이미 부러진 화살 몇 개가 꽂혀있었다. 정나말은 한참을 서 있기만 했다. 커다란 창에 의지해 가까스로 서 있는 정나말의 몸에서 떨어진 핏방울을 황산벌이 받았다.

정나말은 입술이 하얗게 말라붙어 있었다. 몸에 있던 수분이 모두 증발해버린 듯 땀 한 방울 흘리지 않았다. 정나말이 가죽으로 만든 물주머니를 힘겹게 입으로 가져갔다. 그가 천천히 물을 들이키는 동안에도 신라군은 정나말에게 한 발짝도 다가가지 못했다. 김흠순이 명했다.

"활로 마무리를 해라."

정나말의 몸에 수십 개의 화살이 더해졌다. 정나말은 서서히 무릎을 꿇었다. 신라군에게 정나말은 무릎 꿇지 않았다. 정나말은 황산벌에 무릎을 꿇었다. 신라군을 노려보던 정나말이 앞으로 꼬꾸라졌다.

신라군의 발길질에 걷어차인 정나말이 하늘을 보고 드러누웠다. 희미한 숨을 뱉었다. 그 눈에 가빴던 삶의 시간이 더디게 흘러갔다. 하늘을 향해 미소 지었다. 파란 하늘 하얀 구름 속에 그리운 얼굴들이 보였다. 오천 솔 형제들이 있었고 계백왕자가 있었다. 정나말이 무겁게 내려앉는 눈꺼

풀을 깜박였다.

계백이 사라지고 둘째 아들 문효가 보였다. 정나말은 문효의 무예스승이었고 문효는 정나말의 글 스승이었다. 나이어린 문효에게서 글자를 배우며 세상을 조금 더 이해했다. 행복한 시간이었던 듯 정나말의 입이 웃고 있었다. 기억을 떠올리는 동안 문효가 사라지고 햇빛이 대지를 가득 매웠다. 스르르 낮잠 한숨 자듯 눈을 감았다. 정나말을 끝으로 백제의 오천 결사대가 황산벌에서 잠들었다.

오천솔의 전멸은 다른 오천솔 한 명 한 명에 대한 예의였다. 오천솔은 흩어지지 않고 같은 곳을 향하여 어깨를 부딪고 나란히 걸었다.

소슬한 바람만이 남은 황산벌은 드넓었다. 아니었다. 피로 물든 황산벌은 오천솔에게는 넓지 않았다. 유일한 길이었던 황산벌은 사다리처럼 비좁았다. 그들이 뚜벅뚜벅 걸어갔던 황산벌은 좁고 적막한 외길이었다. 오천솔은 황산벌의 그 사로死路를 벗어나서는 살 수 없었다. 설령 숨이 붙어있다 하더라도 살아갈 수 없는 오천솔, 그들은 황산벌에서 숨이 끊어지기 전부터 이미 죽어있는 생령이었다.

천년 부여의 영광과 함께 5천의 전사戰士는 그렇게 죽은 것인가. 아니었다. 오천솔은 역사보다 더 오랜 대지의 흙으로 부활했다. 메마른 황산벌의 꽃으로 피어났다. 오천솔의 피를 머금은 붉은 꽃과 그들의 칼날을 닮은 새하얗고 시퍼런 꽃으로 생환했다. 갑옷의 미늘같이 얇은 꽃잎은 계속 피어났다. 다음 해에도, 그 다음 해에도 계백의 명광개를 닮은 오천솔의 꽃들은 어김없이 피어났다.

황산벌의 전투는 끝이 났다. 비록 적이었지만 오천솔의 장렬한 죽음을 애도하지 않은 신라군은 없었다. 가장 깊은 탄식은 신라인이 된 부여충상과 흑치상영에게서 나왔다. 그들은 오천솔 전원이 죽음을 택할 것이라고 생각지 못했다. 적어도 오천솔의 반은 꼬리를 말고 내빼는 여우처럼 살 길을 찾을 줄 알았다. 더러는 무릎을 꿇고 항복할 줄 알았다. 그런데 아니었다. 다 죽었다. 배신자들은 도저히 이해할 수 없는 충격적인 사건이었다.

당나라군과의 약속기일에 늦은 신라군은 전우의 시체도 수습하지 못하고 급히 황산벌을 떠났다.

강수는 황산벌을 샅샅이 뒤졌다. 나뒹구는 시체더미에서 계백을 찾기란 쉽지 않았다. 그는 반나절 남짓 헤맨 끝에 목이 잘린 계백의 시체를 찾았다. 그는 계백의 목을 떨어진 몸과 맞춘 뒤 손에 붓을 쥐어주었다.

"왕자님도 칼 대신 붓을 쥐고 계시는 게 더 잘 어울립니다."

강수는 계백과 오천솔의 혼을 달래는 위령제를 지냈다. 계백과의 첫 만남에서 그의 죽음까지 이십 년 세월이 녹아있는 두 시진時辰이었다.

'먼 옛날 만사를 아우르던 영웅도 끝내는 한 무더기 흙더미가 됩니다. 여우와 토끼가 그 흙더미에 굴이나 파지 않으면 다행인 것입니다. 생시에 지극히 고귀했던 대왕의 무덤 위에서, 꼴 베고 소 먹이는 아이들이 철없이 웃으며 노래합니다. 이는 그 어떤 대왕도 피해갈 수 없는 운명입니다. 그대와 나의 기억속의 지증대왕님도 그랬듯이.

세월이 흘러가면 산 자도 그대를 따라갑니다. 최후까지 살아남은 자도 반드시 죽습니다. 너무 슬퍼하지 마십시오. 제 붓으로 그대의 기록을 남기겠습니다. 제 손톱으로 그대의 이름을 바위에 새기겠습니다. 세상이 그대를 잊지 않도록 말입니다.

황산벌에 우두커니 홀로 서 있어보니 그대가 세상에서 제일 행복한 사람입니다. 자기를 알아주는 평생의 벗 셋이면 성공한 삶이라는데, 무려 5천이나 되는 지기知己가 그대를 따라갔으니.'

황산벌을 응시하며 강수가 큰 소리를 내질렀다.

"이겼다! 동무하나 없는 내가 오천 명을 이겼다!"

강수의 웃음은 섬뜩했다. 그러더니 이내 황산벌에 무릎을 꿇고 앉아 곡을 했다.

"아니, 아니오. 내가 진 것이오. 그대와 맞붙었다면 나는 절대 이기지 못했을 것이오."

강수는 다시 웃었다.

"내가 이긴 것이다. 연개소문과 더불어 삼국 제일이라는 계백을 내가, 이 강수가 이겼다!"

강수는 다시 흐느끼며 넋두리를 했다.

"이겼어도 이긴 게 아니오. 그대에게 나는 졌단 말이오! 내일이면 그대는 살아있는 전설이 될 거란 말이오!"

시린 웃음과 울음이 황산벌을 떠돌았다. 강수의 웃음과 울음이 계백과 오천솔과 신라군 1만의 주검으로 가득 찬 텅 빈 황산벌에 메아리쳤다. 강수가 독백했다.

불멸의 이름은 남겼으니 계백 그대가 더 오래 사는 것입니다. 그대 계백은 그 이름으로 영원히 살아있는 것입니다.

제 4 장

부활을 꿈꾸다

13. 스스로 망한 백제

　소정방은 미리감치 당나라군 일부를 '사비수 갓개' 뒤쪽에 매복시켜 두었다. 계백과 오천솔이 황산벌에서 신라군과 대치중일 때였다.

　사비성 서쪽에서 진지를 구축하고 당군을 기다리던 부여의직은 연이은 황산벌의 승전소식을 들었다. 이에 자극을 받은 부여의직은 몸이 달아올랐다. 사비성을 방어하고만 있을 일이 아니었다. 뭍으로 상륙하려는 당군을 공격하는 건 어렵지 않을 듯싶었다. 그의 휘하에 있는 2만의 백제군은 계백의 승전보에 사기가 올라있었다. 부여의직이 백제군에게 진군 명령을 내렸다.

　백제군이 당나라 군선을 목격했을 때 뭍에는 허수아비 하나 보이지 않았다. 백제군은 햇살에 반짝이는 물비늘만 쳐다보았다. 사비수에서 멀찌감치 떨어져서 이를 지켜보던 당군이 점점 거리를 좁혀왔다. 백제군은 순식간에 포위되었다. 의자왕의 동생 부여의직이 이끄는 백제군 2만은 그 자리에서 대패했다.

7월 11일 오후 늦게 신라군이 사비수 갓개에 자리한 당 군영에 도착했다. 대총관 소정방은 김유신을 나무라며 호되게 질책했다. 신라군의 기선을 제압하려는 속셈이었다. 소정방은 김유신을 대신해 신라군의 군기를 담당한 김문영金文頴을 참수하라 명했다. 수염을 매만지던 김유신이 발끈하고 나섰다.

"대총관, 황산벌의 백제장수가 누구였는지 아시잖소? 아직 황산벌 전투 경과를 못 들은 게요? 백제군 오천과 싸웠는데 그 오천이 다 죽었소이다. 포로가 하나도 없다는 말이오! 이게 어떤 의미인지 아시잖소."

소정방이 시선을 돌리며 딴청을 부렸다. 김유신의 흰 수염이 부르르 떨렸다.

"황산벌 사건은 전무황후무한 일일 거요. 이건 백제 결사대에 대한 모욕을 넘어 우리 신라군에 대한 모욕이오. 벌은 얼토당토않소. 우리 신라랑 먼저 한 판 붙읍시다. 그런 뒤 백제 잔당을 쳐부수겠소!"

김유신이 돌아서서 신라군에게 외쳤다.

"전투태세를 갖추어라."

우와아아아아! 신라군 4만이 일제히 함성을 질렀다. 황산벌에서 오천솔을 격파한 신라군의 기세는 욱일승천해 있었다. 신라군 4만의 위용이 당군 13만과 맞먹을 듯싶었다. 소정방을 노려보는 김유신의 긴 수염이 바람에 흩날렸다. 소정방의 부관이 그의 발등을 밟으며 말했다.

"대총관, 노여움을 푸셔야겠습니다."

소정방이 헛기침을 했다.

당군과 신라군이 합류했을 즈음 사비궁은 요동치고 있었다.

"좌평 충상과 달솔 상영이 우리 백제를 배신했다 하옵니다. 계백왕자가 암살당했다 하옵니다. 그 놈들이 기어이, 기어이 그 분을……. 천하의 몹쓸 놈들이옵나이다."

의자왕이 탁자를 내리쳤다.

"틀렸다! 충상과 상영이 아니다. 왕비가 계백을 죽였다. 아니다, 계백을 죽게 방치한 내가 죽인 것이다."

의자왕이 은고를 노려봤다.

"계백은 신라와 네 번 싸워 네 번 이겼다. 못난 의직이 놈은 2만 군사를 가지고도 한나절도 버티지 못하고 도망쳤다. 계백에게 일만, 아니 오천의 군사만 더 줬더라면!"

의자왕의 자책에 신하들이 훌쩍거렸다.

의자왕과 신하들의 눈길을 피해 사비궁을 빠져나온 은고는 머리를 감싸며 주저앉았다. 바닥에 손을 짚고 엎드렸고 한참을 그렇게 있다가 은고는 비틀거리며 일어섰다. 천천히 걸음을 내디뎠다. 길바닥을 쓸고 간 그녀의 치맛자락이 흙먼지로 뒤엉켰다.

'난, 아니다. 사택임자가 사주한 게 틀림없다. 흑치상영, 부여충상 네 이 놈들을 용서하지 않겠다. 내가 원한 건 계백의 죽음이 아니었다.'

은고의 볼을 타고 눈물이 흘러내렸다. 계백이 보고 싶었다. 서서히 황산벌 쪽으로 몸을 돌린 그녀는 목이 메었다. 그 누구에게도 말 못할 흠모를 무작정 거부한 계백이 미웠다. 그 원망이 때때로 독가시가 되었을 따름이었다.

최악의 상황에서 의자왕은 평소처럼 행동하려고 노력했다. 노쇠해진 몸으로 의연함을 잃지 않으려 애썼다. 온 백성이 해동의 증자라 칭송했던 때로 돌아가고자 했다.

"계백이 출전을 앞두고 내게 말했느니라. 열흘이면 사비성을 향해 군사들이 앞을 다투어 몰려온다 하였다. 스무 날이면 나라를 지키려고 온 백제가 들고 일어날 거라 했다. 한 달이면 고구려가 우리 백제를 원조할 것이라 했다.

당군에 맞서 싸우지 말고 대총관 소정방에게 사신을 보내어 시간을 끌라고 했다. 가서 당군의 진군을 늦춰라."

신하들은 의자왕의 말에 솔깃했다. 백제군 20만 중 2만을 잃었을 뿐이다. 고구려에 간 5만 군사가 돌아오고, 지방에 주둔한 군사들이 몰려온다면 기회는 있었다. 난관을 극복하리라는 희망을 품어도 좋을 듯싶었다.

신하들을 물리치고 의자왕이 옥좌 깊숙이 몸을 파묻었다. 과연 배신자가 부여충상과 흑치상영뿐일까! 은밀하게 배신자를 색출해야 하는데 믿을 사람이 없었다. 궁리해 봐도 떠오르는 사람이 없자 찬바람을 맞은 듯눈이 시큰거렸다. 계백이 더 그리워졌다. 계백을 떠올리자 생각나는 사람이 생겼다.

사택소명, 은고가 죽이고자 했던 사택소명이 있었다. 계백처럼 은거하고 있던 그에게는 안심하고 중차대한 임무를 맡겨도 좋았다. 의자왕은 태자 부여효에게 화급히 사택소명을 수소문하라 일렀다. 의자왕은 태자도 믿었다. 왕위를 물려받을 태자가 신라와 내통해 백제를 멸망시킬 리는 없었다.

시간을 끄는 것이 최선이었다. 의자왕은 상좌평 사택천복, 왕자 부여궁, 좌평 각가覺伽를 소정방에게 사신으로 보냈다. 그들은 양고기와 돼지고기를 수레에 싣고 당나라 진영으로 갔다.

소정방은 백제 사신들을 본체만체했다. 소정방의 행동 하나 말 한마디에 백제의 사활이 걸려 있었다. 부여궁은 긴장됐지만 짐짓 여유를 부리며 말했다.

"주국柱國 대방군왕 백제왕의 셋째 왕자 부여궁입니다. 예까지 오시느라고초가 많으셨습니다. 저희 대왕께서 대총관을 위해 마련한 음식이옵니다. 대총관께서도 아시다시피 우리 대왕께서는 살아있는 증자로 추앙받는 고명하신 분이옵니다. 예절을 갖춰주시길 바랍니다."

소정방이 말했다.

"살아있는 증자?"

몇몇 장군들이 예절은 불가하다고 외쳤다. 그 중 신라태자의 목소리가 가장 컸다.

"개수작입니다!"

소정방이 사신들을 향해 말했다.

"살아있는 공자라 해도 어림없는 일이다. 백제왕의 항복의 예가 아니면 받지 않겠다."

부여궁이 망설이지 않고 대답했다.

"대총관께 지금 당장 항복하겠습니다."

"항복한다고?"

부여궁이 무릎을 꿇었다.

"항복하옵니다. 다만 저희는 대국 당나라와 황제폐하께 항복하는 것이니 신라군을 물려주소서. 신라군이 물러가기만 하면, 우리 대왕께서 대총관과 함께 몸소 당나라에 입조하실 것이옵니다. 감히 한 말씀 드리겠사옵니다. 신라와 백제의 다툼에 어찌 황제폐하께서 친히 나서시는 것이옵니까?"

부여궁은 살아생전 계백의 계책대로 시간을 벌고 있었다. 그 계책에는 당군과 신라군을 이간시키려는 전술도 끼어 있었다.

"구원군이 올 시간을 벌려는 수작이 아니더냐?"

소정방은 호락호락하지 않았다. 부여궁도 이대로 물러설 수 없었다.

"아니옵니다. 신라군을 물리시겠다는 답만 해주시면 당장 성문에 당나라 깃발을 꽂겠사옵니다. 살아있는 증자께서는 허언을 아니 하시옵니다. 믿으시도록 저희 모두가 지금당장 볼모가 되겠사옵니다."

"자청해서 인질이 되겠다고?"

소정방은 부여궁의 말에 혹했다. 더 이상 싸우지 않고 원정에 성공하는 것이었다. 괜찮은 제안인데 문제는 신라의 반응이었다. 소정방이 신라 장군들을 쳐다봤다.

"절대 아니 될 일이오!"

김유신이 반대하고 나섰다. 백제가 당나라의 땅이 된다면 신라의 미래는 없었다. 소정방이 미적거리자 김유신이 자리에서 벌떡 일어섰다.

"우리 군사더러 물러가라니, 아예 동맹을 파기하십시다."

강수가 김유신의 말에 한마디 덧붙여 통역했다.

"당나라가 그렇게 나온다면 우리도 생각이 있습니다. 차라리 백제 편에

서서 당나라군과 싸우겠소!"

동맹을 파기하자는 말에 꿈쩍 않던 소정방이 주춤했다. 여기는 바다 건너 이국땅이었다.

"유신공, 너무 노여워하지 마시오. 잠시 고민한 것뿐이니."

소정방이 부여궁에게 말했다.

"백제의 항복을 받아들이지 않겠노라."

백제 사신들은 발길을 돌려야 했다. 좌평 부여각가가 신라가 반대할 것을 예상하고 써둔 밀서를 몰래 소정방에게 남겼다.

'대총관, 백제의 항복을 받아주소서. 원수인 신라에게 항복하지만 않게 해주시면 우리 군사 20만을 동원해 신라를 멸하겠습니다. 의심스러우면 대총관이 직접 백제군을 이끌어도 좋습니다. 그리되면 신라 땅까지 당나라의 영토가 되는 것입니다. 이는 황제폐하께 이로운 일이 될 것입니다.

피를 흘리지 않게 된 백성들은 대총관의 은혜를 뼈에 새길 것입니다. 대총관을 이 풍요로운 백제 땅의 도독이나 제후왕으로 천거할 게 틀림없습니다. 그러면 이 땅은 영원히 대총관 가문의 영지가 되는 것입니다.

오랜 역사를 끊는 것은 상서롭지 않고 의롭지 못한 일입니다. 큰 재앙과 화가 대총관께 미칠 것이고 후대에 반드시 피의 보복을 받을 것입니다. 대총관께서는 어찌 스스로 복을 차고 화를 자청하시는 것이옵니까!'

백제의 솔깃한 제안에 소정방은 고개를 주억거렸다. 다음날인 7월 12일에도 소정방은 김유신에게 딴전을 피우며 출전을 미루었다. 소정방이 출전할 기미가 없자, 강수가 나섰다.

"대총관, 백제에게 시간을 주면 아니 되옵니다. 기습작전의 충격에서 깨어난 백제군 이십만이 사비성으로 몰려오면 대업을 망치옵니다. 이긴다 해도 당군의 절반은 잃고 나서야 저 사비성을 함락시킬 수 있다는 걸 아셔야 하옵니다.

당장 진격명령을 내리소서. 협상 중에도 진격을 멈추지 않아야 더 유리한 협상을 끌어낼 수 있다는 걸 왜 모르시옵니까. 대총관께서 진군하지 않는다면 우리는 신라를 지키러 퇴각할 수밖에 없사옵니다."

마침내 소정방은 용단을 내렸다. 그는 강수의 계책을 따르기로 했다.

"진군하라!"

당군과 신라군이 네 갈래로 나뉘어 사비성으로 진군했다. 의자왕이 거듭 사신을 보내 지연술을 썼지만 소정방은 진군을 늦추지 않았다.

*

7월 13일 밤, 사비궁에서 의자왕과 왕자들이 대책을 논했다. 의자왕이 왕자 부여융에게 말했다.

"네가 임시로 태자 자리를 맡아라. 이 나라 사직을 보존하려는 것이다. 놈들이 사비성보다 웅진성을 먼저 공격할 수도 있다. 나와 태자 효가 죽는다면 네가 왕위를 이으라는 말이다. 부디 너라도 살아남아 부여와 백제 이천 년 혈맥을 이어라."

왕자 부여융이 침통한 표정으로 그러겠다고 대답했다.

의자왕은 왕비 은고, 태자 부여효 등을 거느리고 웅진성으로 피했다. 산성인 웅진성에서의 방어가 최후의 시간 지연술이었다. 평지에 자리한 사비성은 방위선이 길어 군사가 적은 백제가 불리했다. 백제군 5만을 고구려로 파병한 탓이었다.

아홉 개나 되는 방어용 성으로 둘러싸인 사비성을 함락시키려면 나당연합군도 힘을 소모할 것이 틀림없었다. 사비성이 함락 된다 해도, 20만 주민을 통제하는 데는 상당한 시간이 걸릴 것이었다. 연합군이 사비성과 웅진성을 동시에 공략하려면 그들의 힘도 분산될 수밖에 없었다. 의자왕의 노림수대로 사비성에서 웅진성까지, 나당연합군이 감당하기 힘들 만큼 전선이 확장되었다.

웅진방령 예식진이 의자왕과 일행을 마중했다.

"대왕, 고초가 크셨사옵니다."

"예식진, 사직이 그대의 어깨에 달려있다. 조금만 버텨라. 웅진성을 구하러 곧 군사들이 몰려올 것이다."

"예, 대왕."

예식진은 의자왕 곁에 서 있는 은고를 한번 노려봤을 뿐 별다른 움직임을 보이지 않았다.

웅진성은 별탈이 없는 반면 사비성은 때 아닌 내분으로 시끄러웠다. 의자왕의 둘째 아들 부여태泰가 부여융을 밀어내고 왕위에 오른 것이었다. 부여태의 욕심에 사비성에 있는 좌평들이 머리를 맞댔다.

"어찌됐든 왕명을 어긴 것이니, 당나라군이 물러간다면 우리들은 대역 죄인이 되는 겁니다."

부여태가 스스로 왕위에 오르자 사비성은 이미 무법지대로 돌변했고, 대좌평 사택천복은 분란을 더 조장했다.

"차라리 우리가 먼저 성문을 열어 당나라에 항복합시다. 황제가 증오하는 것은 백제가 아니라 고구려입니다. 우리들을 죽일 이유가 없지 않소? 당나라가 우리를 공격한 건 고구려를 돕지 못하게 하려는 것뿐입니다."

좌평들은 대역 죄인이 되지 않으려, 목숨을 부지하려 서둘러 뜻을 모았다.

왕자 부여융과 대좌평 사택천복이 성 밖으로 나가 소정방 앞에 엎드렸다. 사비성과 웅진성 중 어디를 먼저 공격해야 할지 갈등하던 그는 사비성의 열쇠를 기껍게 받아들였다. 활짝 열린 성문으로 당나라군은 사비성이 제집인 양 들어섰다. 당나라 깃발이 사비성 하늘에 펄럭였다.

신라태자가 꿇어앉은 백제 태자 부여융의 얼굴에 침을 뱉었다.

"네 아비가 내 누이를 죽였다. 20년 동안 갈아온 복수의 칼 맛을 보거라."

"김품석과 그대 누이 고타소는 대야성 주민들이 죄를 물어 자살한 것이오."

"닥쳐라!"

신라태자가 칼을 빼들자 소정방이 그를 저지했다. 감옥으로 끌려가던 부여융이 울부짖었다.

"이 전쟁이 한 여인의 복수 때문이라니! 앞으로 수십만, 수백만이 죽어

가겠구나. 하늘이시여, 저 무도한 김법민을 벌하소서!"

이날 저녁 사비성 소식이 웅진성으로 날아들었다. 웅진성 관원이 방령 예식진禰寔進한테 다급히 고했다.

"사비성이 항복했답니다."

"그래? 차라리 잘됐다."

예식진의 반응은 백제의 신하가 할 말이 아니었다. 관원이 한참을 머뭇 거리다 말을 꺼냈다.

"그 변고를 핑계 삼아 방령께서도 당나라에 투항하실 생각이시군요. 저 야, 방령님의 명령에 복종할 테지만 이해가 가지 않습니다. 방령님께서 적 과 싸워 놈들을 물리치면 일등공신 아니십니까? 원군이 올 수도 있고, 싸 우다가 정 불리하다 싶을 때 항복해도 되지 않습니까?"

"이유를, 알고 싶은가?"

"예."

"미워서 그런다. 은고, 그년이. 다른 이유는 없다."

고작 그 이유냐는 듯 관원이 예식진의 얼굴을 멍하니 바라보았다.

소정방이 웅진성으로 사신을 보냈다. 사비성이 함락되었으니 얼른 의자 왕도 항복하라는 통첩이었다. 의자왕 곁에 있던 은고는 부들부들 몸을 떨 었으나 의자왕은 투항을 거부했다. 당나라 사신은 사비성에서 웅진성으로 다시 웅진성에서 사비성으로 하루에도 수차례 오갔다.

이를 지켜보던 예식진이 어느 순간 돌아가는 당나라 사신을 불렀다. 부하들은 물리치고 사신의 귀에 속삭였다. 사비성으로 돌아가는 당나라 사신은 희색이 만연해서 말을 내달렸다.

밤늦은 시각에 예식진이 의자왕에게 독대를 청했다. 그새 의자왕의 얼굴은 더 수척해져 있었다. 예식진이 입을 열었다.

"대왕, 단도직입적으로 한 말씀 말씀드리겠나이다."

"말하라."

"저 멀리 부여로부터 비롯된 이 나라의 천 년 대업을 이어가시려면!"

"이어가려면?"

"왕비 아니, 은고의 목이 필요하옵니다. 대왕과 이 나라를 위해서이옵나이다."

의자왕은 신하가 왕비의 이름을 부르는 수모를 참았다.

"그 말은!"

"다른 말씀 마옵소서. 저는 은고의 목을 원할 따름이옵니다."

의자왕은 눈을 감고 한참을 생각했다. 머릿속으로 그의 과거와 현재를, 그리고 미래를 그려보았다. 허수아비 하나가 그의 머릿속 화선지에 그려졌다. 미래는, 미래는 아무것도 그릴 수 없었다.

"네 뜻은 알겠다만, 그 여인을 죽일 수가 없다. 은고가 이 나라의 흥망을 좌우하다니, 나는 더 이상 왕이 아니구나. 다 내 탓이구나. 나는 중용의 도는커녕 아무것도 모르는 허수아비였구나. 백성들의 이삭만을 지키는 나를 참새들이 비웃었겠구나. 나는 끝내 참새 한 마리 잡지 못하는 허수아비였구나. 누가 나더러 재림한 증자라 했느냐. 누가!"

의자왕이 자리에 쓰러질 듯 비틀거렸다.

'계백아, 네게 죄를 지어 천벌을 받는 게다. 내가!'

예식진이 입을 열었다.

"마지막, 대왕의 마지막 명을 받들겠사옵니다."

의자왕의 어깨가 축 늘어졌다.

"백제라는 이름이 여기서 끊기는구나. 천년 명맥을 내가 끝맺는구나!"

의자왕은 방석에 머리를 파묻었다. 그의 흐느끼는 소리가 웅진성의 고요한 밤을 깨웠다. 의자왕의 자책은 그칠 줄을 몰라 그는 끝내 절규하며 울부짖었다.

"계백아, 처자식의 죽음을 견디면서까지 네가 당부했는데, 네 바람을 이렇게 저버리다니. 저승에서 네 얼굴을 어찌 볼 수 있단 말이냐."

의자왕이 울음 섞인 목소리로 예식진에게 명했다.

"좋다. 마지막으로 허수아비 노릇을 한 번 더 하련다. 백성들은 임금 잘못 만난 죄밖에 없다. 백성들의 생명과 재산은 보전해줘라."

"그 조건은 이미 당나라가 받아들였사옵니다."

예식진이 자리에서 일어서자 그의 심복들이 방안으로 득달같이 들이닥쳤다. 의자왕은 고개를 푹 숙이고 순순히 몸을 내맡겼다. 밖으로 끌려나온 의자왕이 하늘을 올려다보았다. 저 하늘 높은 곳에서 빛을 발하던 부여의 별이 땅바닥으로 곤두박질쳤다. 은고와 태자 부여효도 꽁꽁 묶인 채 끌려오고 있었다.

7월 18일 새벽, 계백이 죽은 지 불과 이레 뒤였다. 날이 밝기 전에는 열리지 않아야 할 성문의 빗장이 풀렸다. 사비성에 이어 웅진성의 성문마저 백제인이 스스로 열었다. 의자왕을 태운 수레바퀴 소리가 새벽녘의 정적을 깨트렸다.

예식진은 의자왕, 은고, 태자 부여효를 앞세우고 웅진성 1만2천5백 군사를 이끌고 사비성으로 행군했다. 해동 증자가 죄인처럼 끌려가는 모습에 백성들이 통곡했다. 그들은 은고가 탄 수레에 돌을 던졌다. 예식진과 웅진성 군사들에게도 돌팔매질을 해댔다. 배신자를 외치며 악에 바친 저주를 퍼부었다.

어떤 백성은 계백의 이름을 부르며 절규했다. 백성들이 땅바닥에 퍼질러 앉아 하늘을 원망했다. 어머니 품에 안긴 아기들도 목을 놓아 울었다.

한편 사택소명은 의자왕의 부름을 받고 길을 재촉하고 있었다. 웅진성에 다다랐을 때 그는 백성들의 통곡소리를 들었다. 바닥에 엎드린 사택소명은 다리가 풀려 일어설 수 없었다. 그는 진즉부터 예식진의 모난 성품을 알고 있었다. 이 사실을 의자왕한테 알리려 했지만 때는 이미 늦어버렸다.

무열왕은 후방인 신라 금돌성에서 전황을 관망하고 있었다. 황산벌에서 연달아 네 번을 패했을 때 울화가 치민 그는 꿩고기를 하루 내내 씹었다. 그러다 사비성에 이어 웅진성이 함락되는 순간 무열왕이 몸을 일으켰다.

사비성으로 달려간 그는 제일 먼저 승리를 자축하는 주연을 장군들에게 베풀었다. 당나라군과 신라군에게도 사비성 안에서 술을 마실 수 있게 하였다. 무열왕이 대총관 소정방의 공적을 칭송하는 동안 신라군은 천운에 고마워했다. 당나라군과 신라군은 각각 단 한 번의 전투로 항복을 받아낸 것이었다.

무열왕이 의자왕, 은고, 왕자들을 끌고 오라고 명했다. 대야성을 백제에 넘겼던 검일黔日과 모척毛尺도 붙잡아 대령하라 일렀다. 포로들이 포박된 채 끌려왔다. 은고는 고개를 빳빳이 들고 무열왕을 노려봤다. 의자왕은 고개를 숙인 채 연신 한숨을 내쉬었다.

신라태자는 먼저 검일과 모척을 꾸짖었다.

"검일, 모척, 네놈들이 대야성 양식창고를 불살라 성 안에 먹을 것이 떨어졌으니 이것이 첫 번째 죄다. 품석 부부를 강박해 죽였으니 이것이 두 번째 죄다. 백제와 함께 본국을 공격했으니 이것이 세 번째 죄다. 검일과 모척의 머리를 베고 사지를 찢어서 강물에 던져라."

무열왕은 웃지 않고 있었다. 이제 겨우 딸의 원수를 조금 갚았을 뿐이다. 무열왕이 소정방에게 물었다.

"대총관, 승전을 기리는 축하주는 누구에게서 받고 싶으십니까?"

"백제의 왕에게 받는 게 마땅하지 않겠소이까. 먼저 한잔 받으시지요. 백제 의자왕은 신라왕께 술을 올려라."

"술은 여자가 따라야 맛이 사는 법입니다. 은고가 대총관께 술 한 잔 따라드려라."

당나라와 신라 장군들은 희희낙락했다.

"은고는 어디 있느냐! 엉덩이 흔들면서 춤 한번 춰봐라!"

"나이 든 년이 허리를 제대로 돌리겠느냐! 노래나 한 곡 해라!"

"그럴 것 없다. 그냥 술이나 따라라!"

은고가 일어서려다 비틀거리며 넘어졌다. 은고는 쓰러진 채 고함을 질렀다.

"내 비록 포로가 됐지만, 백제의 왕비니라. 차라리 죽여라!"

당과 신라 장군들이 손가락질하며 웃었다. 무열왕이 은고를 한번 쳐다보고 장군들에게 말했다.

"백제왕을 사로잡느라 다들 고생이 많았소. 그렇다면 이제 왕비 은고를 누가 한번 사로잡아보겠소?"

당나라와 신라 장군들이 서로서로 얼굴을 쳐다보는 동안 무열왕이 말했다.

"백제가 끊임없이 우리를 공격한 건 저년의 탐욕 때문이었다. 내 어여쁜 딸이 죽었는데 저 원흉을 그냥 둘 수 없다. 의자왕의 딸년들도 병사들에게 나누어줘 욕을 보이게 해라."

"대왕, 그건 아니 되옵니다."

무열왕이 반대의 뜻을 비친 자를 노려보았다. 김유신이었다. 김유신을 바라보는 무열왕의 시선은 곱지 않았다.

"장군은 나이가 들었으니 이 일에는 나서지 마시오."

김유신의 반대에도 무열왕이 뜻을 굽히지 않자 소정방이 나섰다.

"백제의 왕족들은 황제폐하 진상품이니, 신라의 것이 아니다. 우이도총관 신라왕은 자중하라!"

무열왕은 분했지만 이를 꽉 깨물고 한 발 물러섰다. 약소국의 설움이었다.

"대총관, 대신 부탁 하나가 있소."

"무엇이오?"

"들어주겠다는 약속부터 하시오."

마지못해 소정방이 웃음을 보였다. 어지간한 부탁은 들어주겠다는 뜻일 터였다. 무열왕이 입을 열었다.

"사비성을 약탈하게 해주시오."

14. 벼랑 끝 여인들

'사비성을 약탈하게 해달라고? 너희 신라가 진짜 백제에 원한이 많은 게로구나. 왕가끼리 혼인도 제법 했다던데 그래, 오랜 세월의 원한을 풀 거라. 그 사이 나는 백제가 기백 년 동안 모아둔 진귀한 보물을 챙기겠다.'

소정방은 예식진과의 약속을 까맣게 잊은 듯했다. 사비성에 입성한 소정방이 웅진성에 있는 의자왕에게 항복을 종용할 때였다. 사비성 점령군이 약탈을 하지 않는 조건으로, 예식진이 의자왕을 사로잡아 소정방한테 바치겠다는 서찰을 보냈었다. 그 조건을 소정방은 잊지 않고 있었다.

"좋소. 딱 삼 일 간만 약탈을 허락하겠소."

그 사흘 동안 소정방도 약탈을 할 속셈이었다. 소정방의 허락에 김유신은 생각이 많아졌다. 신라가 망국이 된 백제 백성들을 끌어안지 않으면 득을 보는 것은 당나라였다.

"아니 됩니다."

김유신의 반대에도 무열왕은 막무가내였다.

"장군, 우리 병사들의 노고도 생각해줘야 하지 않겠소? 목숨 걸고 싸웠으니 그 정도는 해줍시다."

김유신은 무열왕의 살찐 목을 뚫어지게 바라봤다. 그는 민심 따윈 아랑곳하지 않는 군왕이었다. 마침내 대총관 소정방이 모두에게 명을 내렸다.

"삼 일 동안 원하는 만큼 가져가라. 단, 백제 왕족들은 건드리지 말라. 황상께 바칠 전리품이니 절대 손을 대서는 안 된다. 방화 또한 안 된다. 사비성에 불을 놓는 자가 있다면 즉시 목을 벨 것이다."

소정방의 말이 떨어지자마자 당군과 신라군은 약탈자로 돌변했다. 장군들은 사비궁으로 군사들은 앞서거니 뒤서거니 사비성 민가로 달려갔다.

사비성에 살고 있던 신라 출신 백제인과 당나라 출신 백제인까지 약탈자로 돌변했다. 사비성 주민들은 더욱 혼비백산했다. 어제까지만 해도 이웃이었던 주민들이 오늘은 약탈자였다. 사비성은 순식간에 쑥대밭이 되었다. 한차례 메뚜기 떼가 쓸고 지나간 들녘을 방불케 했다. 약탈자들이 빼앗은 건 금은보화만이 아니었다. 여인들을 겁탈했다. 아비가 보는 앞에서 어미와 여식의 옷을 벗겼다. 이를 악물고 지켜보던 아비는 괴성을 내지르며 피를 토했다. 후텁지근하고 탁한 공기가 사비성을 무겁게 짓눌렀다.

약탈이 시작되기 전 이미 사비성 여인들은 본능적으로 위험을 느끼고 있었다. 대왕포 곁 대왕암으로 몰려가는 여인들의 행렬이 줄을 이었다. 집안에 남아있다 노리개가 된 뒤 무작정 집 밖으로 뛰쳐나온 여인들도 있었다. 맨발에 속곳 차림의 여인도 있었고 치맛자락 속에 딸을 숨긴 여인도 있었다. 넋이 나간 여인은 발가벗은 줄도 몰랐다. 혼자보다 여럿이 뭉쳐있는 것이 나을 듯싶어 대왕암에 모여든 여인들이 2만을 헤아렸다.

여인들은 서로 위로하며 눈물을 찔끔거렸다. 치욕스러워도 자식을 위해서 살아야지 않겠냐고 스스로를 다스리기도 했다. 분노가 깊어갈수록 강강해지는 여인도 있었다. 그녀들의 눈은 살의로 희번덕이었다. 그 수많은 여인들 가운데 계백의 집에서 유모살이를 했던 고이古爾가 있었다.

여인들이 푸념을 했다.

"소정방이라는 당나라 장군이 환갑이 넘었다니 그나마 안심이 됩니다. 젊은것이 대장군이 아닌 게 얼마나 다행이오?"

고이가 다른 여인들을 표독하게 쏘아붙였다.

"뭐가 다행입니까? 늙은 것들이나 젊은 것들이나 사내들은 다 똑같습니다. 제 구실 못하는 놈이라면 모를까."

이 때 다시금 저 멀리서 여인의 비명이 났다. 군사들이 대왕암 자락까지 쫓아와 달아오른 욕정을 풀고 있었다. 고이가 분노로 몸을 떨었다. 운명의 신이 여인들의 목을 바짝 조여 오고 있었다.

"우리네 신세가 불쌍하고 또 불쌍하다! 임금 잘못 만나 우리가 이런 험한 꼴을 당하는구나!"

고이는 군사들보다 여인들을 보호해주지 못한 의자왕에게 치를 떨었다. 대왕은 백성들을 갖은 위험으로부터 지켜줘야 하는 자리였다. 고이가 의자왕을 욕하자 어느 여인이 불쑥 나섰다.

"모두 은고란 년 때문입니다."

고이가 목소리를 높였다.

"웃기는 소리 마시오! 왕비의 잘못은 곧 왕의 잘못이오."

군사들이 대왕암 턱밑까지 몰려왔다. 더 이상 피할 곳이 없는 여인들은 꼿꼿하게 서서 그들을 내려다봤다. 아예 바지를 벗고 달려오는 군사들도 있었다. 여인들은 이를 갈았다. 여인으로 점지한 삼신할미를 원망하고, 인간의 삶을 허락한 신을 원망했다. 잔인한 선택의 시간이 점점 다가오고 있었다. 여인들은 서로서로 껴안고 목을 놓아 울었다.

"차라리 물에 빠져죽읍시다."

"우리의 억울한 넋을 누가 건져 땅에 묻어주라고."

고이가 싸늘하게 내뱉었다.

"죽는 순간 끝장인 것이오. 죽는 순간 우리와 함께했던 그 모든 것이 사라지고 마는 거요. 내세란 게 다 무슨 소용이오."

여인들은 벼랑 끝으로 몰려갔다. 푸른 물이 출렁이고 있었다. 세상의 시끄러움은 아랑곳없이 강물은 제 길을 가고 있었다. 여인들은 강물을 내려다봤다. 강물은 속살을 안고 휘돌고 있었다. 얼마나 가야 하는지, 도착할 곳이 어딘지도 모르는 채 흘러갔다. 그저 한없이 낮은 곳으로만 흐르고 있었다.

그녀들은 강물이었다. 강물처럼 세상을 끌어안고 남편과 자식들을 품었다. 산협을 타고 내려온 한줄기 한줄기가 골을 내면서 강물은 시작되었다. 흐르는 동안 실개천의 물들을 합치지만 보탤 뿐이지 새롭게 물갈이를 하지 않았다. 더러는 정지된 듯 보이지만 강물은 한시도 멈추지 않았다. 그렇게 시작된 그녀들의 강물은 인내와 포용으로 무장한 채 꿋꿋하게 흘러갔다. 그 강물은 여간해서 구멍을 내지 않았다. 바닥을 드러내지 않는 한 그녀들은 흐름을 멈추지 않았다. 도도하기만 했던 강물이 주춤거리며 잠시 흐름을 멈추었다. 푸른 강물이 어지럽게 출렁였다. 여인들이 두 눈을 질끈 감았다. 일렁이는 물비린내를 마시던 고이도 눈을 감았다.

한 여인이 강물에 몸을 던졌다. 여인이 강물 속으로 가라앉고 있었다. 맑고 투명한 푸른 물속이 거울처럼 그녀를 비췄다. 일었던 물이랑이 잠잠해지고 있었다. 그 속을 흐트러짐 없이 내려가고 있는 여인은 한 번의 허우적거림도 없었다. 여인의 새까만 머리카락만이 수초처럼 흔들릴 뿐이었다.

여인들이 하나 둘씩 사비수에 몸을 던졌다. 여인들은 두려움을 떨치려는 듯 치마를 뒤집어쓰고 한마디씩 내뱉었다.

"여보, 저승에서 만나요."

"애들아, 미안하다."

"천벌을 받아라! 개자식들!"

여인들의 원한을 담은 강물이 출렁이며 소용돌이쳤다. 서로의 몸을 부딪치며 소리를 냈다. 가뭇하게 휘돌던 강물이 온몸으로 여인들을 안았다. 잠시 흐름을 멈췄던 강물이 실팍해진 몸집으로 다시 흘러갔다.

벼랑 끝에서 눈물을 머금고 돌아선 여인들도 적지 않았다. 그 중에 고이도 섞여 있었다. 고이는 수치를 견디고 살아남기로 했다. 그녀는 기꺼이 색정에 굶주린 사내들의 노리개가 되리라 이를 악물었다.

고이가 아랫도리를 벗어던졌다. 너럭바위에 가랑이를 벌린 고이 위로 군사가 올라탔다. 고이는 숨을 헐떡거리는 사내를 무연하게 바라봤다. 사내는 욕정에 굶주린 늑대였다. 멍한 듯 보이는 고이의 눈빛은 깊이를 알 수 없는 우물 속처럼 무언가를 감추고 있었다.

이십만이나 되는 늑대들의 욕정을 다 채우기에는 여인들의 수가 턱없이 부족했다. 꼿꼿해진 성기를 붙들고 줄을 선 늑대들의 눈알이 희번덕거렸다. 까무룩 눈을 뒤집은 늑대들은 강물에 몸을 던진 여인들이 아깝기만 했다.

늑대들은 대왕암을 낙화암落花巖으로 바꿔 부르며 강물에 떠 있는 치마를 아쉽게 바라봤다. 늑대들은 번들거리는 눈으로 강물에 떠 있는 여인들을 뭍으로 건져 올렸다. 여인들의 시체 위에서 늑대들이 헐떡이며 몸을 흔들어댔다.

여인들은 늑대들의 만행을 두 눈에 담았다. 그녀들은 하늘을 보며 이를 악물었다. 여인들은 제 살갗이 터지도록 돌멩이로 문질러댔다. 더럽혀진 몸을 씻어내며 그녀들은 울부짖었다. 도대체 신은 있기나 한 것인가. 신이 놈들을 벌하지 않는다면 우리 손으로 응징할 것이다. 신의 뜻이 그런 것이라면 신도 용서하지 않겠다.

그녀들은 짐승처럼 무참히 짓밟혔다. 아니, 먹잇감만도 못한 취급을 받았다. 그녀들은 잠을 자다가도 악에 바친 소리를 내지르며 깨어났다.

여인들을 지켜보는 백제 사내들은 비통해했다. 창칼을 들고 있는 늑대들에게 대적하지 못하는 그들의 맨손을 돌로 짓찧었다. 여인들을 지켜주지 못했던 사내들은 저 멀리 들녘으로 나가 부르짖었다.

성 밖에서, 성 안에서 살육과 약탈은 계속되고 있었다. 제 한 몸 보전하기에 급급했던 주민들이 불현듯 옷소매로 눈물을 닦아냈다. 이제 더는 슬퍼할 수만은 없었다. 이제 더는 당할 수만은 없었다. 주민들의 눈에서 형형한 분노의 불꽃이 일었다. 사비성 백성들이 격분하여 일어섰다.

계백의 죽음과 사비성 함락 소식이 바다 건너 안시성 성주에게 닿았다. 안시성 성주는 처음엔 기겁했지만 나중엔 황당해했다. 계백이 전사한 것은 병가지상사라 쳐도 백제가 그리 쉽사리 항복한 것은 도저히 이해불가였다.

"타로야, 놀라지 마라."

타로가 바짝 긴장해서 안시성 성주를 쳐다봤다.

"성주님, 무슨 일이시옵니까요?"

안시성 성주가 고개를 저으며 한숨을 쉬었다.

"나도 놀랐는데, 네가 어찌 놀라지 않겠느냐. 당나라한테 사비성이 무너졌다는구나. 그리고 그, 그 사람 계백이 죽었단다."

타로는 숨이 턱 막혔다. 충격으로 입이 떨어지지 않았다.

'보나마나 은고 그년 때문에 백제가 망했다.[6] 아, 가비류가 살아 있었으면…….'

타로는 정처 없이 걸었다. 땅을 딛고 있다는 느낌도 없었다. 그냥 앞으로 나아갈 뿐이었다. 숨도 쉬어지지 않았다. 눈물도 흐르지 않았다. 타로는 눈물이 나지 않는 슬픔도 있다는 것을 알았다. 숨을 쉬고 있는가. 나는 살아있는 것인가. 아니다, 나는 진즉 황산벌에서 죽었다! 타로는 오천솔의 이름을 하나하나 불렀다.

"우도 아저씨! 홍궁 아저씨! 마고 형! 정나말 형!……"

오천솔의 얼굴들이 타로의 감은 눈 속에서 아스라이 스러져갔다.

"왕자님! 작은 왕자님들!"

백제의 항복 소식을 접한 연개소문 연정토 형제는 얼굴이 창백해졌다. 고구려가 신라에게 원한 것은 백제를 적절히 견제하는 역할이었다. 백제의 멸망은 고구려가 원했던 바가 결코 아니었다.

"김유신에게 제대로 한 방 먹었는걸. 혼자만의 작품은 아닐 텐데. 어느 놈이 꾸민 소행인지 알아봐야겠구나."

백제의 항복 소식을 들었을 때 연개소문은 계백의 생사여부를 알지 못했다. 하지만 그는 황산벌 전투 소식을 듣고 5천 군사로 5만과 맞서 대등하게 싸운 사람이 계백이라 짐작했다. 그런 계백이 죽다니 믿어지지 않았다. 연개소문은 계백의 죽음과 백제의 패전 내막을 알아보라고 명했다.

계백이 암살당하다니, 연개소문이 주위를 물리고 하늘을 올려다보았다. 가슴의 통증이 온몸으로 퍼져갔다. 동맹국 백제의 어이없는 붕괴에, 연개소문은 당나라와 신라한테서 협공당하기 전에 백제의 부활을 돕기로 결정했다. 백제가 신라를 적절히 견제하는 역할을 해주길 바라면서.

---

6) 대부인大夫人 은고는 요사스런 년이었다. 무도하고 권력을 빼앗아
마음대로 하고 어진 이들을 주살하여 화를 불렀다. [일본서기]

15. 꿩의 바람꽃

    소정방이 사비성 약탈을 허용한 마지막 날이었다. 백제의 보물들을 감상하고 있던 소정방은 급보를 받았다.

    "대총관, 신라왕이 감옥을 지키는 우리 군사들에게 뇌물을 주었다 하옵니다."

    "왜?"

    "군사들에게 백제의 왕비와 공주들을 희롱하라 했답니다. 우리 군사들은 폐하의 노여움을 살까봐 늙은 왕비만 돌려가며 욕을 보였다 하옵니다."

    소정방의 수염이 부르르 떨렸다.

    "신라왕, 그놈이 보기보다 아주 독종이구나."

    "성가신 일이 하나 더 생겼사옵니다. 백제의 왕비가 제 정신이 아닌 듯 하옵니다. 사내놈을 데려오라고 악을 쓴다고 하옵니다. 세상 사내들을 다 품겠다면서요."

소정방이 혀를 찼다.

"왕비에게 잠 오는 약을 먹이고, 이번 일을 함구하라 일러둬라."

"알겠사옵니다. 그런데, 대장군."

"뭐야, 또?"

"좌평 사택임자가 독침을 맞고 죽었사옵니다."

"누구의 소행이라더냐? 아니다. 입을 열면 곤란하니 그랬을 테지. 이번 기습작전에 그자를 끌어들인 게 김유신이지 않느냐."

한편 무열왕은 약탈에 재미가 들린 듯했다. 하지만 이내 실증을 느끼고 사비성 주민들을 괴롭히는 데에 열을 올렸다. 소정방은 사비궁에 군영을 차리고 무열왕과 신라 장군들의 동태를 감시했다. 소정방이 김유신을 은밀히 찾아 불렀다.

"나는 황제폐하께 백제 땅을 마음대로 처리할 수 있는 권한을 부여받았소. 백제 땅 일부를 유신공에게 식읍으로 떼어줘 그 전공에 보답코자 하오."

소정방이 김유신의 의중을 떠보자 김유신이 말했다.

"오랜 원수를 갚아 우리 임금과 신민들이 기뻐서 어찌할 바를 모릅니다. 제가 어찌 그 땅을 받을 수 있겠습니까?"

"그래요? 그럼, 없던 일로 하지요. 내가 떠난 뒤에는 후회해도 소용없으니 잘 생각해보시오."

김유신은 소정방의 이야기를 무열왕한테 사실대로 전했다. 김유신은 무열왕이 그에 대한 의심의 끈을 늦추지 않고 있음을 알고 있었다. 무열왕과 김유신 그리고 강수가 한자리에 오랜만에 모였다. 소정방의 속내를 읽은 강수가 대책을 내놓았다.

"유신공을 회유하지 못했으니 소정방은 우리 신라까지 차지하려 무력을 쓸지도 모릅니다. 대왕, 당군을 하루빨리 당나라로 돌려보내는 게 상책일 듯하옵니다."

"우두선생, 말해보시오. 내 무조건 그대의 대책에 따르리다."

"신라인을 백제인으로 둔갑시키면 되옵나이다. 우리 군사가 백제 옷을 입고 당군을 공격하면 당군이 철군할 것이옵니다. 소정방은 이미 백제를 멸해 큰 공을 세웠지 않습니까. 그가 이 땅에 남아 장기전을 펼칠 까닭이 없사옵니다. 당나라 황제가 원하는 건 백제가 아니라 고구려이옵니다."

김유신이 박수를 쳤다.

"대왕, 묘책이니 시행하시옵소서."

"우리 신라를 위해 백제를 격멸한 당군과 싸운다면 하늘이 우릴 도와주겠는가?"

무열왕이 강수의 대책을 처음으로 뿌리쳤다. 무열왕은 그의 원한을 풀어준 당나라가 고맙기만 했다. 그는 당군을 진짜 하늘이 보낸 천병이라도 되는 양 여기고 있었다. 김유신이 발끈했다.

"개는 충성스럽지만, 까닭 없이 제 발을 밟으면 주인도 무는 법이옵니다. 국난을 당할 게 자명한데 어찌 자위책을 취하지 않사옵니까? 강수의 대책을 허락하셔야 하옵니다."

'개? 나를 물겠다고?'

무열왕이 김유신을 노려보았다.

"이 나라의 왕이, 그대요? 나요?"

무열왕이 자리를 박차고 나간 뒤 김유신과 강수가 한참동안 눈빛을 교환하고 자리를 떴다. 김유신은 포로를 가둔 감옥으로 갔다. 좌평 부여정무正武를 풀어주고 그에게 무기까지 내주었다.

점령군의 만행에 분개한 부여정무는 항복한 것을 뼈저리게 후회하고 있는 참이었다. 부여정무는 사비성 주민 백여 명에게 무기를 나누어주었다. 무기를 손에 쥔 주민들 눈에 분노의 불꽃이 일었다. 무기를 들지 않은 주민들까지 합세해 순식간에 민병의 수가 일천으로 불어났다.

부여정무와 주민들은 먼저 약탈에 가담했던 신라와 당나라 출신 사비성 주민들에게 보복을 가했다. 민병은 당나라군과도 맞서 싸우기를 자청했다. 백제 주민으로 가장한 신라군이 합세해 민병을 도왔다. 소정방은 사비성의 민란에 재빨리 대응했다. 당나라 정예군을 동원해 민병을 단숨에 진압해버렸다. 막 피어오르는 불씨는 태풍을 견디기에는 너무나도 여렸다.

신라의 동향을 계속 감시하고 있던 소정방은 부여정무의 소행이 신라의 모략임을 알고 있었다. 괜스레 들춰내 사실을 밝히면 서로가 부담스러울 테니 덮어두었다. 이곳은 백제 땅이었고, 당나라로 돌아가려는 마당에 긁어 부스럼을 낼 필요가 없었다. 손 털고 훌훌 떠나면 그만이었다.

백제의 지방군이 사비성으로 진군하려 세력을 규합하고 있었다. 소정방은 떠날 채비를 서둘렀다. 백제에서 약탈한 보물은 이미 군선에 한가득 싣고도 남았다. 백제 땅에 더 머무를 까닭이 없었다. 다만 한 가지 아쉬운 점이 있다면 명광개를 얻지 못한 것뿐이었다.

8월 17일 소정방은 백제에서 철수했다. 의자왕, 왕비 은고, 좌현왕 부여효연, 여러 왕자들, 대좌평 사택천복, 좌평 사택손등, 좌평 국변성 등을 포로로 끌고 갔다.

소정방은 예식진은 개선장군으로 대우했다. 백제인 1만2천여 명이 당군의 개선 행렬에 끼어있었다. 예식진 휘하의 웅진성 군사들이 주를 이루었다. 그들은 고향에 남고 싶어도 떠날 수밖에 없었다. 해동 증자를 팔아 넘긴 패륜아로 낙인찍혀 백제 땅에 발붙이기 힘들었다.

백제의 금은보화를 가득 실은 군선이 힘껏 물을 차고 나갔다. 2천여 척의 배가 전속력으로 백제의 심장 사비수를 갈랐다. 뒤늦게 의자왕이 사슬에 묶여 당나라로 끌려간다는 소식을 들은 백성들이 사비수 갓개로 몰려들었다.

저기 저 멀어져가는 배를 향해 백성들은 목청을 높여 외쳤다. 임이시여, 바다를 건너지 마오. 백성들의 절규가 가락이 되어 사비수를 따라 굽이굽이 흘렀다. 백성들은 해동 증자가 그리워질 때마다 산유화가山有花歌[7]를 노래했다.

산유화야 산유화야
오초 동남 가는 배는
순풍에 돛을 달고
북을 둥둥 울리면서
어기여차 저어 가지
원포귀범이 이 아니냐

산유화야 산유화야
이런 말이 웬 말이냐
용머리를 생각허면
구룡포에 버렸으니
슬프구나 어와 벗님
구국충성 다 못했네

산유화야 산유화야
입포에 남당산은
어이 그리 유정턴고
매년 팔월 십륙일은
왼 아낙네 다 모인다
무슨 모의 있다던고

산유화야 산유화야
사비강 맑은 물에
고기 잡는 어옹덜아
온갖 고기 다 잡어두
경칠랑은 낚지 마소
강산 풍경 좋을시고

신을 만난 사나이 **227**

개선장군 소정방의 귀국을 당나라 국인들은 열렬히 환호했다. 오랜만의 승전 소식에 당나라 전체가 들썩였다. 숱한 백성들이 거리로 몰려나와 천세, 천세를 외치며 돌아다녔다.

"백제를 단번에 멸망시킨 소장군이 최고다. 소장군이라면 고구려도 한 칼에 무찌를 것이다."

"백제가 없으니 저 고구려 놈들도 이제 끝장이다. 소장군을 고구려로 보내라!"

내친김에 당나라 백성들은 소정방이 고구려도 멸망시키길 소망했다.

장안성에서 소정방의 승전을 축하하는 연회가 한창일 때였다. 영웅으로 부상한 소정방을 당고종이 은밀히 찾아 불렀다.

"어찌하여 신라를 치지 않았는가?"

소정방이 아뢰었다.

"비록 작은 나라지만 신라는 아직 써먹을 데가 있사옵니다. 황상, 고구려를 잊으시면 아니 되옵니다. 연개소문이 있는 한 안심할 수 없사옵니다.

백제 땅 곳곳에서 백성들이 들고일어나고 있사옵니다. 제가 신라를 치지 않은 또 다른 이유이옵니다. 신라는 백제 부흥군을 소탕하느라 힘이 많이 약해질 것이옵니다."

무황후가 나섰다.

"황상, 이이제이가 상책이옵니다. 백제와 신라의 원한을 이용하시지요. 백제의 왕을 풀어주고 벼슬을 내려주십시오. 굳이 천자의 백성들이 피를 흘릴 까닭이 없사옵니다."

당고종이 반색했다.

"옳은 말이오."

모든 일이 순조롭게 되어가고 완벽해 보였다. 이제 고구려의 멸망이 눈에 보이는 듯했다.

"당장, 연개소문 그 놈을 잡아 부황의 원수를 갚고 싶구나."

소정방을 멀리서 지켜보던 이세적은 심사가 뒤틀렸다. 그는 당나라 최고의 명장이라 자부하고 있었다. 소정방이 공을 세워 칭송을 받자 그는 배알이 꼬였다. 소정방은 이세적 휘하에 있던 장군이었다. 소정방은 바다도 아닌 개울가에서 그물 한 번 던졌을 뿐이었다. 우연히 백제라는 황금고래가 스스로 걸려든 셈이었다. 연회가 파하자 이세적이 당고종에게 주청을 올렸다.

"황상, 제게 20만 군사만 내주시옵소서. 고구려왕을 사로잡아 장안으로 끌고 와 황상 앞에 대령하겠사옵니다. 칙령만 내려주옵소서."

무황후가 당고종에게 말했다.

"저 자를 죽이십시오."

이세적은 물론이고 당고종도 놀랐다.

"황후, 그게 무슨 말이오. 저 사람은 선황의 유신 영국공 이세적 장군이오."

"그새 잊으셨사옵니까. 선황께서 친히 육십만 대군을 이끌고 고구려를 쳤는데도 끝내 치욕만 당하셨사옵니다. 그런데 어찌 영국공 따위가 연개소문을 이기겠습니까. 폐하를 현혹시키는 망언이옵니다."

당고종은 잠자코 있었다. 그도 장군들이 재물을 얻고 높은 벼슬에 오르기 위해 전쟁을 원한다는 것은 알고 있었다. 하지만 전쟁을 하지 않으면 제아무리 유능한 장군의 칼도 녹슬기 마련이었다. 당고종이 영국공 이세적에게 명했다.

"짐이 부를 때까지 쉬고 있으시오."

무황후의 말을 되새긴 당고종은 뜨끔했다. 예부터 고구려에는 말 잘 타고 활 잘 쏘는 백성들이 많았다. 게다가 여인들도 활을 잘 쏘았다. 고구려는 유사시에 백성들 모두를 군사화 할 기반은 갖추고 있는 셈이었다. 고구려가 지닌 힘은 그 끝을 짐작하기 어려웠다.

'고구려를 이기는 것은 정녕 불가능한가? 먼저 백제를 구슬릴 필요가 있겠다.'

당고종은 백제를 달래는 정책을 폈다. 포로인 의자왕과 백제의 좌평들을 풀어주고 높은 벼슬을 하사했다. 일등 공신 예식진에게 좌위위대장군의 지위를 주는 것도 잊지 않았다.

신라는 당나라의 관대한 처분에 놀라지 않았다. 당나라에 딴 속셈이 있는 것이 분명해졌을 따름이었다. 당나라의 적은 고구려였지 백제가 아니었다. 고구려를 정벌하는 데 신라가 방해가 된다면 언제든 제거하려 들 터였다. 김유신과 강수는 당나라의 음모를 진즉부터 예상하고 있었다.

점령군의 만행을 실은 소식이 바람을 타고 백제 전역으로 퍼졌다. 무열왕의 지나친 화풀이가 백제 백성들의 저항을 더 불러일으켰다. 소정방이 백제에서 철수하자마자 무열왕은 제 세상이 된 양 행동했다. 금마저에 눌러앉은 무열왕은 더 이상 김유신과 강수를 필요로 하지 않았다.

*

   백제 백성들은 침략자들의 약탈과 살육에 치를 떨었다. 백제 곳곳에서 민병이 일어났다. 백성들은 맨주먹과 몽둥이를 들고 가슴에 쌓인 울분을 토해냈다. 사내들은 몽둥이와 죽창을 가지고 싸웠고 여인들은 부지깽이를 들고 싸웠다.

   마침내 백제 지방군이 사비성을 향해 진격했다. 선두에 선 이는 의자왕의 사촌형제 귀실복신鬼室福信이었다. 신라에게 빼앗긴 지 채 한 해도 되지 않아 귀실복신은 200여 성을 탈환했다. 백성들은 귀실복신에게 좌평 벼슬을 주고 민병을 이끌도록 하였다. 임금이 없으니 백성들이 사사로이 나선 것이었다. 귀실복신도 좌평이라 불리는 것을 굳이 사양하지는 않았다.

   다음 국왕이 누구일까. 겨우 한숨을 돌린 백성들은 이제 새로운 지도자를 찾고 있었다. 스스로 망했던 백제가 허물을 벗고 새롭게 태어나는 듯 싶었다.

   백제에서 들려오는 이런 소문을 타로는 듣고 있었다. 구다라라는 여인이 맨 처음 주도해 백제부흥투쟁이 들불처럼 번지고 있다고 했다. 구다라는 고이라는 여인의 다른 이름이라고 했다. 비탄에 빠진 여인들을 그녀가 백제 부흥에 동참시키고 있었다.

   타로의 혼백은 이미 계백과 오천솔의 것이었다. 이곳 안시성에서 그는 있는 힘껏 백제의 부활을 도울 작정이었다. 타로는 강수에게 보내는 서찰을 썼다.

'나는 지난날 지증대왕 눈사람에다 불알을 붙인 사람이오. 그때 계백왕
자님이 그대에게 붓을 준 이유를 아시오? 왕자님은 어린 그대의 눈빛에
서 살기와 반골기질을 보셨소. 그대를 죽여야 한다고 내가 간청했소. 그
분께서는 강수 그대가 어릴 적 불장난 같은 사랑을 지킨 의인이라며 살아
갈 날을 더 주셨소.

그대의 책략이 맞아떨어지니 기쁘기만 하던가? 그 것이 최선이라 생각
했는가? 그대가 의인이라던 계백왕자님이 틀렸다는 것을 오늘에야 깨달
았소. 왕자님이 이런 말씀을 하신 적이 있소.

신라와 백제는 역사가 오래된 만큼 쌓인 원한이 깊다. 어느 쪽이든 최
후의 승자가 되어야 하는 건 피할 수 없다. 하지만 단기간에 전쟁을 끝맺
어야 감정의 골이 더는 깊어지지 않는다. 이긴 쪽에서는 망국의 백성들이
패배의식이나 피해의식을 갖지 않도록 배려해야 한다. 한데, 신라가 백제
를 병합할 경우 일이 더 복잡해진다. 백제의 인구가 더 많고, 신라에는 골
품제도가 있기 때문이다. 피해가 큰 쪽에서 골품에 편입되지도 못하니 더
혼란스러울 것이다.

그대는 지아비를, 지어미를, 자식들을 잃은 백성들의 심정을 헤아려 봤
는가! 그 유랑하는 백성들의 마음이 어떨 것 같은가! 이 전쟁으로 백제 사
람이 반으로 줄었소. 저 빈 들과 바다를 떠다니는 부평초들을 보시오. 백
만 명이 죽고 육십만 명이 살던 땅을 버리고 왜국으로 떠났소.

젊은 과부와 고아들이 넘쳐나고 늙은이들이 스스로를 연명하며 살고 있
소. 아직도 백제라는 이름은 살아있고, 지금도 전쟁이 계속되어 사람들이
죽어가고 있소. 그대 혼자 힘으로 어쩔 수 없는 일일 수도 있지만 말이오.

계백왕자님께서 그토록 희망하셨던 대로 사람들의 희생을 줄이는 쪽으로 일을 도모하길 바라오.'

타로의 서찰을 강수는 갈기갈기 찢었다. 얼굴이 붉으락푸르락한 채 강수가 문을 박차고 나섰다.

661년 6월, 하얀 꿩의바람꽃의 꽃잎이 떨어져가는 여름이었다. 무열왕은 금마저에 있는 백제 무왕의 별궁에서 날마다 연회를 열었다. 서라벌로 돌아가야 하는데 자꾸만 들고 일어나는 민병에 골치가 아팠다. 그는 무고한 이들에게 화풀이를 했다. 갖은 행패를 부리고 주정뱅이처럼 행동하기도 했다.

"이놈들아! 백제의 꿩이 나고, 내가 곧 백제의 꿩이다!"

무열왕이 꿩을 잡아 바치라는 명을 또 내렸다. 백성들이 씨가 마를 정도로 꿩을 잡았는데, 그 중 영물이라는 흰 꿩 한 마리가 끼어있었다. 흰 꿩은 백치白雉라는 별도의 이름을 갖고 있을 정도로 상서로운 동물로 쳤다.

쌍릉을 지키던 수묘인 박박이 소문을 듣고 그의 재물과 백치를 맞바꾸려 했다. 흰 꿩을 잡은 자가 박박의 애원을 뿌리쳤다. 무열왕에게 바치면 박박에게서보다 더 많은 재물에 벼슬까지 얻을지 몰랐다. 박박은 선택의 여지가 없었다. 단 칼에 그를 죽이고 흰 꿩을 가로챘다.

박박은 흰 꿩을 가지고 금마저의 별궁으로 갔다. 박박을 호위무사들이 막아섰다. 노인이었지만 박박은 허리를 일부러 더 구부정하게 하고 대왕께 직접 바치겠다고 고집을 피웠다. 박박을 훑어본 호위무사들이 별다른 의심 없이 그를 금마궁으로 안내했다. 호위무사들은 여든 살이나 먹은 노인의 몸수색을 하지 않았다.

무열왕은 감격했다. 그가 성군임을 만천하에 알려줄 길조라며 의미를 부여했다. 강수가 무열왕에게서 시선을 떼어 창공으로 눈을 돌렸다. '꿩의 바람꽃, 그 마지막 꽃잎이 떨어지는구나.'

박박은 무열왕을 향해 천천히 걸음을 옮겼다. 그에게서 열 걸음 떨어졌을 때 멈춰 섰다. 박박은 무릎을 꿇고 손을 앞으로 내밀었다. 흰 꿩을 쥔 채였다.

"나의 분신이로구나."

흰 꿩을 본 무열왕이 빠른 걸음으로 다가왔다. 박박의 손에 든 꿩을 잡으려고 무열왕이 허리를 굽혔다. 무열왕이 흰 꿩을 손에 넣었을 때 단검이 그의 목을 뚫었다. '신라의 칼'이었다. 계백이 쌍릉을 지켜달라며 박박에게 준 단검이었다.

박박은 단검을 꿩 깃 사이에 숨겨놓았다. 두툼한 지방층이 쌓여있는 꿩의 날개 밑이었다. 대동맥이 찔린 무열왕은 비명도 지르지 못하고 숨이 끊어졌다. 무열왕의 시신에서 흘러나온 피가 금마저를 적셨다. 그가 흘린 피는 다섯 보 넓이나 되었다.[8]

호위무사가 득달같이 박박에게 달려들었다. 박박이 손을 내밀어 그들을 잠시 제지했다. 박박이 말했다.

"내 말을 신라태자에게 꼭 좀 전해다오. 대야성 백성들이 죄를 물어 그대의 누이가 자진한 게요. 그대 아버지는 딸의 복수를 빌미로 전쟁을 일으킨 것인데 이는 백성들의 듯, 곧 하늘을 거역한 것이오. 그대 아버지가 없어야 이 살육이 멈출 테니, 내가 그를 단죄한 것이오."

박박의 시신은 토막 난 채 강물에 던져졌다. 금마저에 있던 사람들은 더이상 피의 복수를 바라지 않았던 박박의 소망을 헤아렸다. 박박의 유언을 신라태자에게 전달한 사람은 없었다.

안시성 성주가 나루터에 나가있는 타로를 찾아갔다. 타로의 손을 꼭 잡아주며 그의 노고를 치하했다.

"신라왕이, 김춘추가 죽었단다."

"고구려와 백제와 신라는 겨레붙이라는, 살아생전 계백왕자님의 뜻을 앞으로도 받들어야지요."

"언젠가는 계백왕자가 내게 이런 말도 했다. '그저 고구려가 백제에 언제 갚을지 모르고 갚지 않아도 되는 빚이 하나 있다'고 말이다."

타로의 가슴이 벅차올랐다.

'왕자님이 나를 안시성 성주에게 보내신 것은 오늘을 위해서였구나. 일찌감치 백제의 부흥을 성주님께 부탁하신 것이었어. 안시성 성주님도 그걸 알고 계셨던 거야.'

타로는 계백이 그를 고구려로 보내 살게 끔 한 이유가 이때를 대비한 것이라 생각했다. 계백은 없어도 안시성 성주가 있었다. 백제는 없어도 고구려가 있었다.

타로는 그가 소유한 배를 동원해 백제를 돕기로 했다. 타로는 제법 큰 장사치였다. 선박을 이용한 외국과의 교역이 그 옛날 계백이 준 밑천으로 시작한 돈벌이였다. 그때 계백이 타로에게 말했었다.

"너에게도 좋고 우리 백제에도 이득이다. 훗날 너의 선단이 누군가에게 큰 도움이 될 것이다."

타로는 드넓게 펼쳐진 바다를 바라보았다. 섬 하나 보이지 않는 겨울 바다는 무한했다. 습기를 머금은 묵직한 바람이 불어왔다. 겨울 바다의 일렁임도 타로의 마음처럼 묵직했다.

타로는 들불처럼 일어나는 백제의 부흥에 쓰일 물자를 보낼 심산이었다. 오랜 전란으로 폐허가 되어가는 백제에 남은 것은 백성들의 신음소리였다. 그 와중에 치욕을 견디고 살아남은 여인들이 굳세게 일어나 백제의 부흥에 힘쓰고 있었다.

안시성 성주가 타로에게 물었다.

"생전에 계백왕자가 했던 말 중 가장 기억에 남는 말이 무엇인가?"

타로가 먼 곳을 올려다보며 말했다.

"왕자님께서 말씀 하셨사옵니다. 싸우지 않고 이기는 게 병법에서 최고인 것처럼, 외교의 최우선은 상대방이 전쟁을 일으키지 못하게 미리미리 손을 써두는 거라 하셨사옵니다요."

안시성 성주가 고개를 끄덕였다.

"우리 고구려를 염두에 둔 말 같구나. 반백 년 이상 우리 고구려가 당나라에 이기고 있어도, 영원한 승자는 없는 것이다. 초승달이 보름달이 되듯, 달이 차면 기우는 법이니라. 그것이 자연의 이치인 듯싶구나."

안시성 성주가 저 멀리로 시선을 두었다. 백제 백성들과 부흥군에게 보내는 식량이 양수梁水 물줄기를 따라 바다로 향했다. 그 흘러가는 물줄기를 따라 타로의 마음도 백제로 향했다.

백제는 지금 의자왕의 배다른 동생 부여풍장夫餘豊璋이 왕위에 올라 있었다. 그런데 백성들은 부여풍장보다 쓰러졌던 나라를 일으켜 세운 귀실복신을 더 신망했다. 부여풍장은 그러한 귀실복신을 시샘해 그를 죽였다. 권력욕만큼 무서운 것이 또 있을까. 부여풍장이 그렇고 은고, 부여태, 김유신, 연정토, 김춘추는 하나같이 권력에 눈이 멀었다. 이곳 안시성에서도 어떤 일이 벌어질지 몰랐다.

세상 일이 도깨비장난 같았다. 배신자로 낙인찍힌 부여충상과 흑치상영은 신라에서도 벼슬살이를 하며 잘살고 있었다. 예식진도 마찬가지였다. 당나라에서 영웅 대접 받으며 호사스럽게 살았다.

시대의 풍운아 강수는 가난하지 않지만 청빈하게 살고 있었다. 강수의 아내는 비구니가 되었고 나라에서 받은 곡식을 굶주리는 이들에게 골고루 나눠주며 살아갔다. 악한도 선한 마음을 보일 때가 있고, 선인의 마음도 곧기만 한 것은 아니었다. 긴 한숨이 타로를 휘돌았다. 완벽한 사람인 듯했던 계백이 부여충상과 흑치상영에게 암살당할 줄은 몰랐다.

타로가 고개를 돌렸다. 저기 삼천 년의 영광 안시성이 우뚝 서 있었다. 갈색 흙벽을 비추는 붉은 노을에 안시성이 붉게 타올랐다. 타로는 어깨가 무거웠다. 황금성이라 불렸던 저 사비성의 역사를 다시 꽃피우고 싶었다. 그의 배를 타고 숱한 외국인들이 다시 사비성으로 몰려들 날을 꿈꾸었다.

'구다라' 같은 백성이 있는 한 백제는 다시 일어설 수 있다. 한순간 흐름을 멈추었던 사비수는 지금 황산벌을 적시며 검흐르고 있을 것이었다.

끝.

[부록 : 삼국사기 계백열전]

계백은 백제 사람으로 벼슬은 달솔이었다.

서기 660년 당고종이 소정방을 신구도 대총관으로 삼아 바다 건너 백제를 신라와 함께 정벌하려 했다.

계백은 장군이 되어 결사대 5천을 뽑았다.

나당연합군을 막으려 하며 계백이 말하였다.

"한 나라의 사람이 되어, 당과 신라의 많은 병사를 맞는 나라의 존망을 알기 어렵다. 내 처자식이 노비가 돼 살아서 치욕을 당하는 게 두렵구나. 기꺼이 죽는 것이 나으리라."

계백은 마침내 처자식을 다 죽었다.

황산의 들에 이르러 세 개의 진영을 설치하였다. 신라군과 싸우기 전 계백이 오천 결사대에게 맹세하며 말했다.

"옛날 월왕 구천은 5천의 군사로 오나라의 70만 대군을 격파하였다. 오늘 우리 모두 분발해서 꼭 승리하여 나라의 은혜에 보답하자!"

결사대 한 명이 천 명을 당해내지 못하는 사람이 없을 만큼 처절하게 싸웠다. 신라군이 끝내 퇴각하였다. 이렇게 진퇴를 네 번 거듭하다가, 힘이 다해 전사하였다.

[부록 : 삼국사기 관창열전]

    김관창은 신라 장군 김품일의 아들이다. 용모가 우아했고 젊어서 화랑이 되어 사람들과 잘 사귀었다.

    16세에 말타기와 활쏘기에 능숙하여 어떤 대감이 그를 무열왕에게 천거하였다.

    서기 660년 왕이 당나라 장군과 함께 백제를 치는데, 관창을 부장으로 삼았다.

    황산벌에서 양쪽 병사가 대치하자, 아버지 품일이 관창에게 말했다.

    "네가 비록 나이는 어리지만 뜻과 기개가 있다. 오늘이야말로 공명을 세워 부귀를 얻을 때다. 어찌 용기가 없을쏘냐."

    관창은 "알겠습니다."라고 하였다.

    관창은 즉시 말에 올라 창을 들고 적진으로 달려가 여러 사람을 죽였다. 적군은 많고 아군은 적어, 적에게 사로잡혔다.

    관창은 산 채로 백제 원수元帥 계백階伯 앞으로 끌려갔다.

    계백이 관창의 투구를 벗기고, 그가 어린 나이인데도 용맹한 것을 애틋하게 여겨 탄식하여 말했다.

    "신라에는 기이한 인물이 많구나. 소년조차 이러하거늘 장사들이야 어떻겠는가."

계백은 차마 관창을 해치지 못하고 살려 보냈다.

진영으로 돌아와 관창이 말했다.

"아까 적진에서 적장을 베지 못하고 깃발을 뽑아오지 못한 것이 매우 한
스럽다. 다시 들어가면 반드시 성공하리라."

손으로 우물물을 움켜 마신 다음 관창은 다시 적진에 들어가 맹렬하게
싸웠다.

계백이 관창을 사로잡아 머리를 베고 그의 말 안장에 매달아 보냈다.

품일은 아들의 머리를 잡고 소매로 피를 닦아주며 말했다.

"내 아들의 얼굴이 살아있는 것 같구나. 나랏일을 위해 죽었으니 후회
가 없으리."

전군이 이 광경을 보고 비분강개하여 마음을 다졌다. 북을 울리고 함성
을 지르면서 진격하니, 백제가 크게 패하였다.

무열왕이 관창에게 급찬의 직위를 추증하고 예를 갖추어 장사 지냈다.
그 가족에게는 당나라 비단 30필, 이십 승 포 30필, 곡식 1백 섬을 부의
로 주었다.

[부록 : 삼국사기 김영윤 열전 일부]

660년 당고종이 대장군 소정방에게 명해 백제를 쳤을 때, 김흠춘이 왕명을 받아 장군 김유신 등과 함께 정예병 5만을 이끌고 당나라 군대에 호응하였다.

음력 7월에 황산벌에서 백제 장군 계백과 맞서 싸웠다.

전세가 불리해지자 김흠춘이 아들 반굴을 불러 말하였다.
"신하된 이에게는 충성보다 귀중한 것이 없고, 자식의 도리로는 효도만한 것이 없다. 이 위기에서 목숨을 바친다면 충성과 효도가 온전히 갖추어지리라."
반굴이 "알았습니다." 하고, 곧 적진에 들어가 힘껏 싸우다 죽었다.